樫木式 DVD 60分付き

カーヴィーダンスで部分やせ!

Sexy Curvy Dance!

DVD付き

カーヴィーダンスで部分やせ!

Contents

カーヴィーダンス実践者、“カーヴィラー”発

カーヴィーダンスはココがスゴイ！

カーヴィーダンスを実践している“カーヴィラー”さんたちの声から、カーヴィーダンスの魅力をご紹介します！

ちょっとの時間ですぐできます！

1プログラムが10分程度なので、ちょっとあいた時間にできるのがすごくいい。それにがんばっただけ結果が出るのもうれしい。2度の出産経験があっても、アタシの体は日々進化中です！

YOUさん（38歳）

うれしい結果がすぐに出ます！

きつくつらい運動はないのに、体重はすぐに1kg減り、見た目はウソーッ?! と叫びたくなるぐらいの変化。おなかまわりがスッキリし、太ももも少し細くなりました。

大阪のたまさん（41歳）

まだ10回ほどなのに、しぶとかったおへそまわりのお肉がとれてウエストは－8㎝。3年ぶりに58㎝を達成！ 筋トレをサボるとすぐぺったんこに戻っていたお尻も、筋肉のハリがキープできているみたい。

ヤエゴンさん（39歳）

楽しく続けられます！

かなりのリズム音痴&ダンス音痴ですが、樫木先生の明るい声がけや笑顔が「動きをマスターするぞ！ 明日もやるぞ！」という気にさせてくれます。自分の体は自分でつくるという意識を持つことができたのもよかった。

こうこうさん（36歳）

ダイエットは孤独につらい運動をしなくちゃと思い込んでいました。でも、カーヴィーダンスは先生がとってもやさしく声をかけてくれるから、ひとりじゃない気分だし、体を動かすことって楽しいと思えるようになりました！

Meoさん（16歳）

姿勢美人になります!

毎回踊るのが楽しくて楽しくて! そしてやりきった後の達成感がたまらない! 体重は−3kg。さらに、姿勢がよくなったせいか身長が1cm伸びたのにはびっくりです!
M.Mさん（24歳）

産後のシェイプアップにもオススメ!

楽しく続けて4か月。ウエストは−9cm、体重は−3kg! 出産してからオバチャン体型になり、オシャレもする気になれなかったのに、体が変わったら自分に自信が持てるようになりました。

minmiさん（37歳）

体の不調も改善します!

3か月で2kgやせて、腹筋が見えてきて、ウエストや太もものサイズもダウン。代謝もよくなり、悩んでいた便秘も解消。さらに、生理周期も安定しました。

みーやさん（31歳）

夜寝る前にカーヴィーダンスをすると、1日の疲れがとれてスッキリ。よく眠れるし、朝の目覚めもすこぶるいい。おなか、お尻の上、背中がスッキリしてきました!

ちびたんさん（39歳）

騒音の心配がありません!

ドタバタした動きがないので、マンションでも時間を気にせずできるのがストレスなくてよかった。ウエスト−4.5cm、体重−2kgと結果が出せました!

すわりつこさん（39歳）

＊効果には個人差があります。

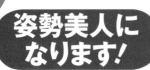

日本の美ボディは
樫木式にあり！

女優・モデル・タレントも絶賛！

樫木式 カーヴィーボディづくりの魅力

数多くのタレントや女優、モデルなどのボディメイクを手がける
カリスマトレーナー樫木裕実先生。
樫木式で美しさにますます磨きをかけている
3人の美ボディミューズたちに、
樫木式ボディづくりの魅力をうかがいました！

Special Curvy Body!

©徳永徹

井上和香さん

女優

つらさより楽しさが勝る“樫木マジック”です！

「樫木先生のトレーニングは楽しくおしゃべりしながらなので、つらさをつらいと感じないのがいいところ。つらいより楽しいほうが勝り、“これ本当に効いてるの?”と思うのですが、それがすごく効いている。もう、“樫木マジック”です。カーヴィーダンスもまさにその樫木式が活かされていて、私は第1弾のカーヴィーダンスでウエストを7.5㎝絞ることができました！ 難しい動きが少なく、短い時間で飽きずにできるのもいいですね」

カーヴィーダンスもマスターして、「トレーニングがますます楽しい！」という和香さん。加速度的に美しく進化する和香さんのボディに、スタジオスタッフも驚いているとか。

Profile

1980年生まれ。2010年度の、横顔が美しい女性に贈られる「E-ラインビューティフル大賞」を受賞。2010年9月には6年ぶりの写真集「IW」を発売。カーヴィーダンスで磨き上げたボディが話題に。

©曽根将樹

SHIHOさん
モデル

テキパキした樫木先生のオリジナルの動きが楽しい！

「先生には昨年末、加藤あいちゃんから紹介してもらってお会いしました。今ではすっかり樫木式トレーニングの気持ちよさにハマっています。テキパキとした樫木先生のオリジナルの動きと、明るい性格で、楽しくトレーニングしながら体がキレイになれるのが、とってもうれしい。新カーヴィーダンスにトライしたら、おなかまわりが熱くなって、筋肉をすごく使っている感じでした！　これはウエストが確実に細くなりそうです」

Profile

1976年生まれ。17歳でモデル活動をスタート。花王「ビオレ」の広告、アディダスのスポーツミューズや、チャリティープロジェクト『ONENESS! project』を立ち上げるなど、多方面で活躍中。

樫木式トレーニングで、ボイストレーニングにも相乗効果が。「体のシルエット、ラインが見違えるほど変わってきた」。

優木まおみさん
タレント

マッチョにならず女性らしい体づくりをしてくれます

「樫木先生とトレーニングを始めたのは2010年6月から。ほしのあきちゃんから噂を聞いていて、松本伊代さんに紹介していただき通い始めました。樫木先生のトレーニングは、それぞれに合ったトレーニングを組んでくれて、マッチョにならずに女性らしいボディラインを残す体づくりをしてくれます。ストイックではなく、楽しくて、ムリなく続けられるのがうれしいですね」

Profile

タレントとしてＴＶ、雑誌等で活躍のほか、キャスター、レポーター業などもマルチにこなす。現在、日本テレビ系『ＤＯＮ！』他、多数レギュラー出演中。４月８日に彼女のライフスタイルやボディーの秘密を紹介する本が発売予定。

多忙なスケジュールの中でも少し時間が空けばトレーニングに通うまおみさん。「そのほうが心も体も調子がいいんです」と、まろやかボディに磨きをかけています。

©鈴木希代江

47歳のSuper美ボディ!

真なる健康美ボディを
目指して
私といっしょに歩もう！

樫木裕実 Body Data

After Body Data

身長 156.0cm
体重 48.0kg
体脂肪率 21.0%
バスト 84.0cm
ウエスト 56.0cm
ヒップ 84.0cm

Before

20代のころの樫木先生。食べることが大好きで、体型を気にすることはあまりなかったそう。今よりずいぶんふっくらしています。

「前作『カーヴィーダンスで即やせる！』を出してから約8か月。実践してくださっている方から〝カーヴィラー〟という愛称も生まれ、多くの方に楽しく続けていただいています。

私のもとには毎日のように、〝カーヴィーダンスに出会えてよかった！〟と喜んでくださるメッセージをいただき、そのたびに私も本当によかった！と思っています。

とくにうれしいのは、体だけではなく心も前向きに変わっていくこと、そしてカーヴィーダンスの輪が女性だけでなく、男性やお子さん、ご年配の方々にも広がっていることです。これは日本を真の健康国にしたいと願う私にとって、何よりの喜びです。カーヴィーダンスを愛し、応援してくださる皆さまに心から感謝しています。

その温かい応援によって、このたび第2弾を出すことになりました。今回は多くの方からリクエストがあった〝部分やせ〟がテーマです。

皆さまにより一層楽しんでいただけるよう、心を込めてつくりました。私といっしょに楽しく、そして心も体もさらに〝粘り〟を大切にして、健康的な美ボディをつくりましょう！」

（樫木裕実）

Profile

Hiromi Kashiki

Body Conscious STUDIO 51,5 チーフトレーナー。多くの方々の美をつくり出し、モデルやタレントなどからも厚い信頼を受ける傍ら、トップアスリートのトレーニング指導、リハビリなど、幅広い分野で活躍中。個人の目的に合わせて展開するオリジナルメソッドは「一回で結果が出る」と定評があり、その的確で発想力豊かな指導法は、多くの方を対象とする雑誌やテレビなどでも発揮。「自宅でも気軽に楽しく続けられる」など、わかりやすいエクササイズも提供し、好評を得ている。

おなか・ウエスト

内側からギューッと絞り上げて
自前の〝コルセット筋〟をつくろう

カーヴィーダンス
美パーツづくりの極意

部分やせへの近道は全身を粘っこく動かすこと。〝カーヴィーダンス〟なら効率よく美パーツが手に入る！

「部分やせを考える際、〝おなかには腹筋運動〟などというように、パーツだけを刺激しようと思いがちです。実は私も昔は、部分やせはパーツ運動でするものだと思っていました。

しかし、私自身の体づくりの経験と、26年間ダンスとフィットネスの両方にたずさわってきた経験を通して、部分やせは全身を動かしてこそかなうと、今は確信を持って言えます。

今回のプログラムも、〝楽しく動いていたら、いつの間にか自分のコンプレックスだった部位がシェイプされていた〟と、そんなふうに思っていただけるように考案しました。全身を粘っこく動かし、柔軟性を高めてじょじょに可動域を広げ、気になるパーツには〝部分やせカーヴィー〟のエクササイズで、効かせたい部分をより意識して動かし、効率的に美パーツづくりをしていきましょう。

プログラムの組み合わせに決まりはありません。体調や気分に合わせて、ムリなく〝気持ちいい〟と感じられることがとても大切です」

バスト

美しいバストは美しい姿勢から。美乳づくりのカギは背中にある

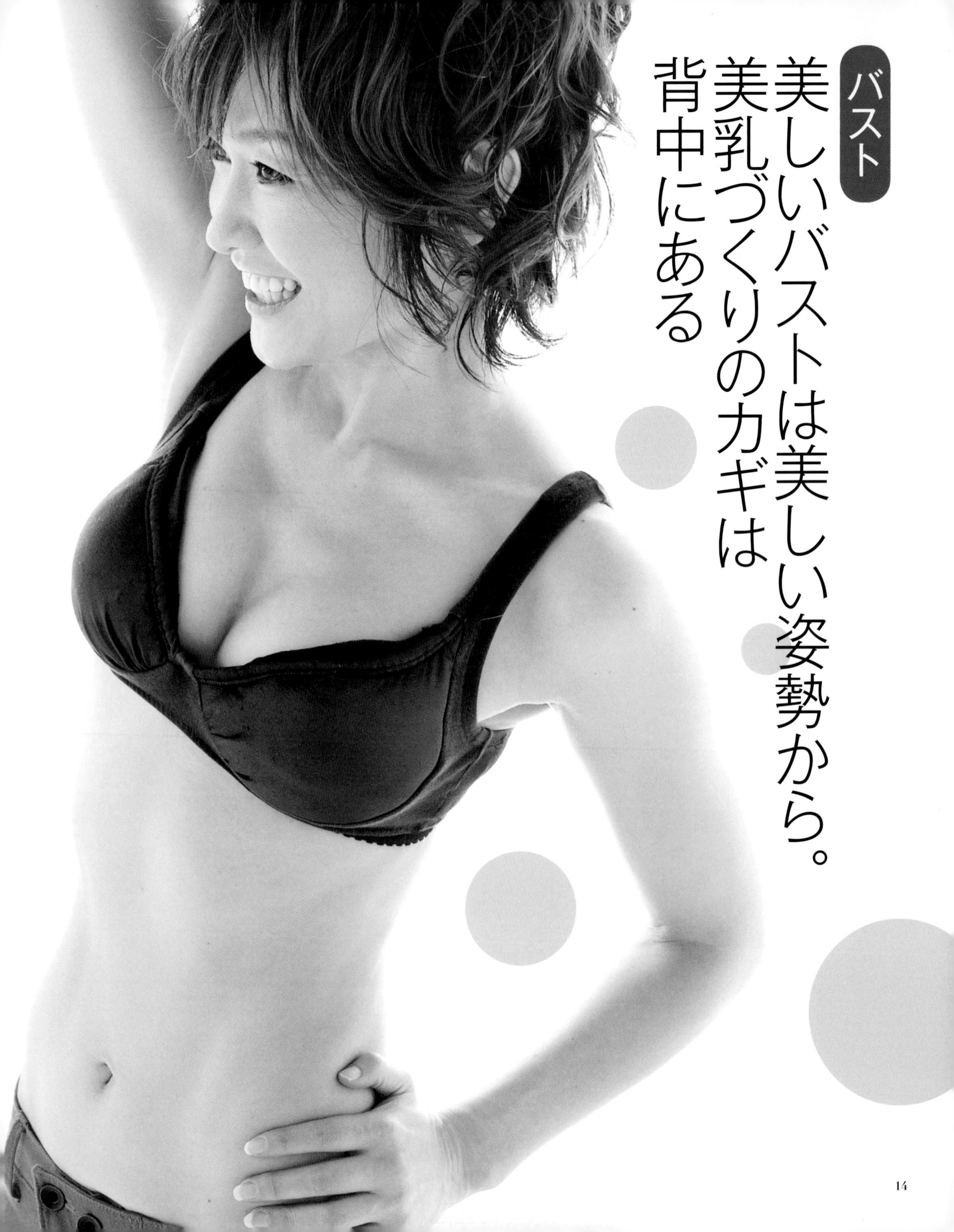

二の腕

しなやかな二の腕づくりは
いかに空気を負荷に感じられるかがポイント

背中

背中は意識しづらいパーツ。
まずは肩甲骨を意識して動かし、
可動域を広げていこう

お尻・脚

育てよう自分のお尻！
お尻が変わると
脚のラインの見え方も変わってくる

自分の体型を活かした表現力のあるカーヴィーラインをつくっていこう

「私が皆さまに目指してほしいと願うのは、体の芯からしなやかなメリハリボディをつくること。そして、自分で自分の体をコントロールできる喜びを知っていただくことです。

　メリハリボディといっても、自分ならではの体型を活かした、表現力のある健康的なカーヴィーラインをつくってほしいのです。人の体にはそれぞれの個性があり、その人にしか出せない美しさがありますから、それを最大限に引き出すことが、最大の魅力になると思います。

　そのためには、自分の体としっかり向き合い、よく見てよく触って、よく研究してみることが大切です。自分の体に少しでもよい変化が表れたら、自分自身で喜んであげてくださいね。その小さな変化は自信につながります。そうすると、自然と気持ちも前向きになって、心も体も楽しくなって、体を動かす習慣がムリなく身についていきます。そして今まで以上に、毎日を生き生きと健康的に過ごしてもらえたら、とてもうれしく思います」

心と体に合わせてアレンジ自在！

『樫木式 カーヴィーダンスで部分やせ！』プログラム

本誌の付録DVDに収録されているエクササイズを紹介します！

樫木式
楽しく踊って即やせる！
カーヴィーダンスで部分やせ！
DVD付録
Gakken
見ながらマスターできる！
カーヴィーダンスDVD
60分

楽しく踊って即やせる！ カーヴィーダンス

各10分

各約10分のダンスで、全身を効率よくシェイプアップします。

ストライクを狙うよ

Program 3 遊んでカーヴィー

② 腕も動かしてさらに効かせよう
・ひざをゆるめる
・わき腹を縮める
・肩甲骨を意識して腕と上半身を動かす

Program 2 メラメラカーヴィー

⑨ ウエストスライド＆背中のストレッチ
・腕は遠くから引っ張られるように、肩甲骨を意識して動かす

Program 1 ゆるカーヴィー

＋

パーツ別に効かせる！ 部分やせカーヴィー

各2分

3つの動きでパーツに効かせる、部分別エクササイズです。

美脚＆美尻のレッスン
① つま先を開いてひざの曲げ伸ばしをおこない、内ももとお尻を締めよう
POINT
・ひざはつま先と同じ方向に曲げる
・おなかと背中をまっすぐに保つ
・ひざと股関節をやわらかく使う
・脚を閉じるときは内ももとお尻を締める

Program 4 美脚＆美尻

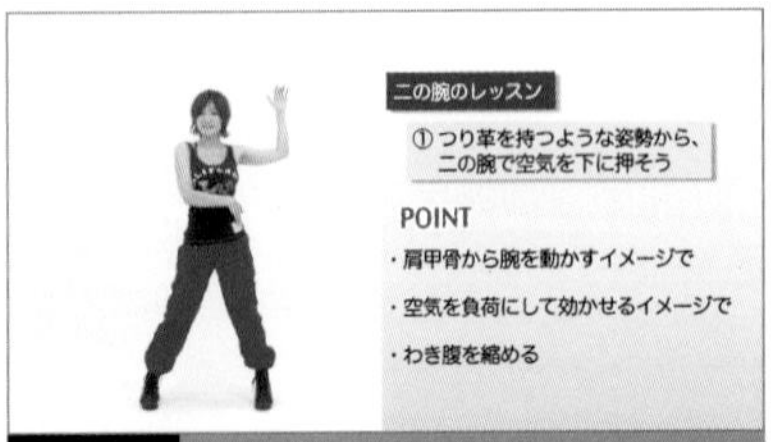

二の腕のレッスン
① つり革を持つような姿勢から、二の腕で空気を下に押そう
POINT
・肩甲骨から腕を動かすイメージで
・空気を負荷にして効かせるイメージで
・わき腹を縮める

Program 2 二の腕

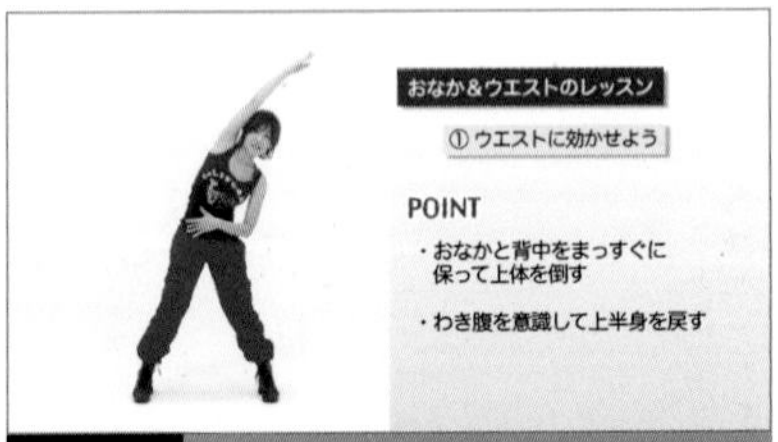

おなか＆ウエストのレッスン
① ウエストに効かせよう
POINT
・おなかと背中をまっすぐに保って上体を倒す
・わき腹を意識して上半身を戻す

Program 1 おなか＆ウエスト

・上半身の力を抜く
・前屈はできる範囲でOK

Program 5 やせ力UPストレッチ

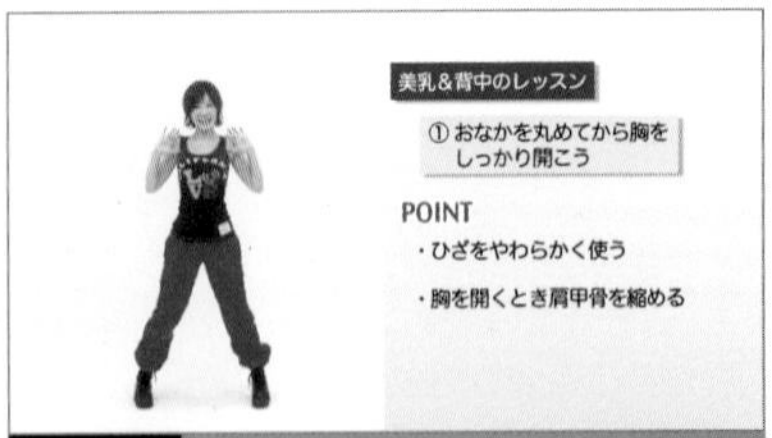

美乳＆背中のレッスン
① おなかを丸めてから胸をしっかり開こう
POINT
・ひざをやわらかく使う
・胸を開くとき肩甲骨を縮める

Program 3 美乳＆背中

Kashiki's Advice
体が気持ちよいと感じられる組み合わせがベストチョイスだよ！

＜エクササイズを始める前に必ずお読みください＞ ●このエクササイズは健康な方に向けてつくられています。●体調に不安のある方、過去に病気等を患った方は、必ず医師の許可を得てからエクササイズをおこなってください。●エクササイズをおこなう際は、すべりにくい場所、周りに障害となるものがない環境でおこなってください。●エクササイズは無理をせず、体調に合わせて、ご自身のペースでおこなってください。途中で気分が悪くなった場合は、速やかに中止してください。

おうちでスタジオレッスンを受けているみたい！

このDVDのスゴイ！ 4つの特徴

コツがつかめる&楽しく続けられる、うれしい工夫がぎっしり！

1 フロントビュー⇔バックビューに切り替えられる！

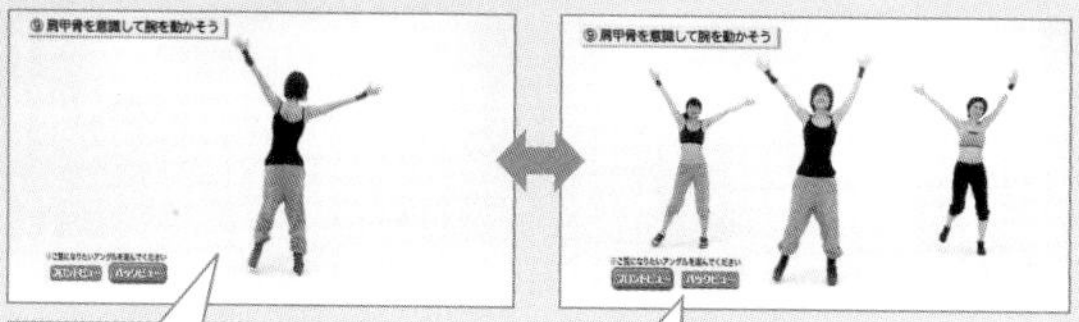

バックビューでは先生が一人で実演
リモコンで選択できます

「ゆるカーヴィー」と「メラメラカーヴィー」では、フロント映像とバック映像に切り替えができる、マルチビュー機能を新採用。正面からも後ろからも動きが確認できます。

さらに！ フロントビューもバックビューも見たまま先生と同じ方向で動けます！

フロントビューでは、先生と自分を鏡で映し合わせたように、向かい合って同じ方向に動いてください。そして、バックビューでは、先生を後ろから見て同じ方向に動いてください。鏡のあるスタジオでレッスンを受けているみたいに、先生と同じ方向で動けます！

2 ダンスの流れやポイントがテロップで確認できる！

ダンスの流れを表示
ポイントを表示
⑦ 立ち腹筋をしよう
・ひざをゆるめる
・お尻が締まるから恥骨が前に出るイメージで
あと3分
残り時間で励まされる！

DVDの画面にはダンスの流れの説明とそのポイントが表示されます。動きに慣れてきたら、テロップでポイントを確認して。意識して体を動かすと、より効果を上げられます。

3 樫木先生やバックダンサーたちと楽しく踊れる！

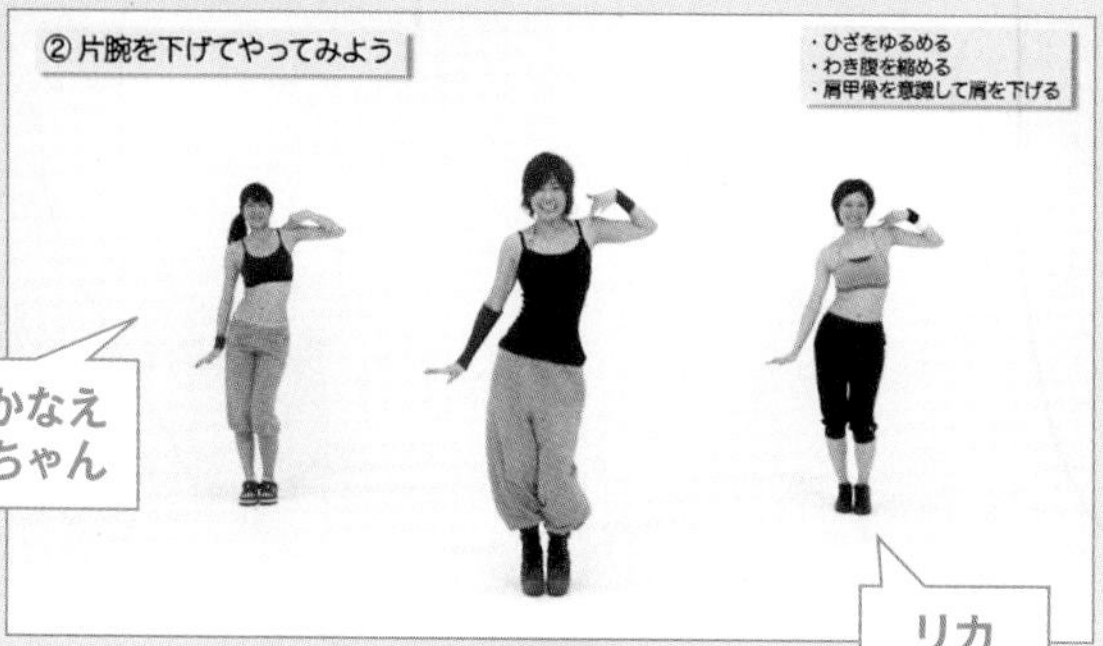

② 片腕を下げてやってみよう
・ひざをゆるめる
・わき腹を縮める
・肩甲骨を意識して肩を下げる
かなえちゃん
リカちゃん

ダンスプログラムは樫木先生がバックダンサーたちと実演。みんなでいっしょに踊っているような臨場感たっぷりで、樫木先生の声がけにも励まされて、楽しく続けられます。

4 レッスン編と実践編の2部構成で別々にも活用できる！

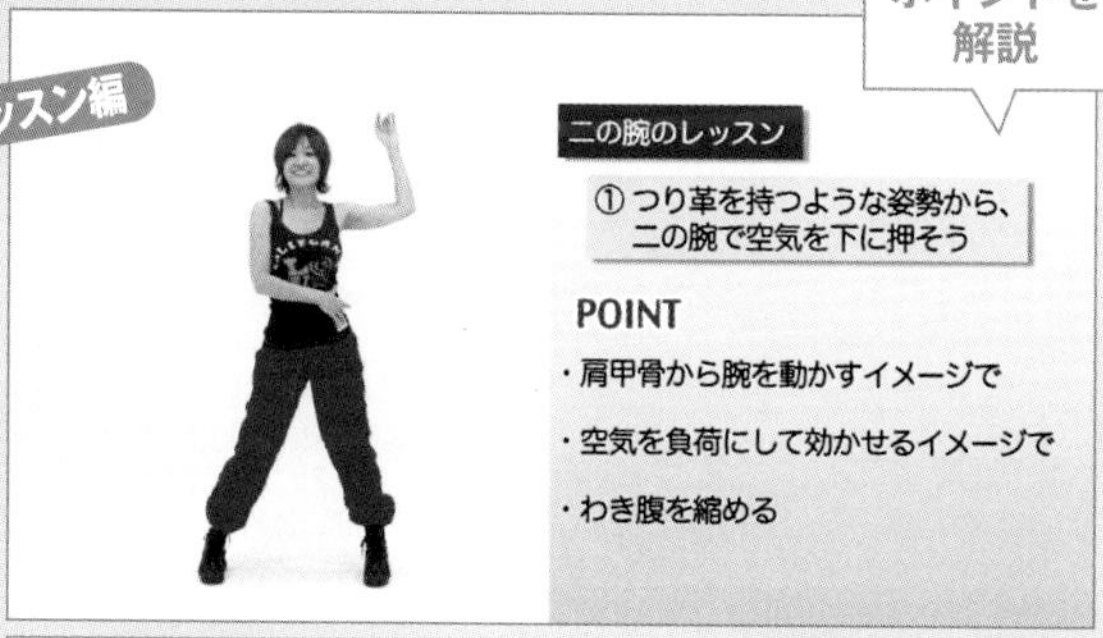

ポイントを解説
レッスン編
二の腕のレッスン
① つり革を持つような姿勢から、二の腕で空気を下に押そう
POINT
・肩甲骨から腕を動かすイメージで
・空気を負荷にして効かせるイメージで
・わき腹を縮める

実践編
二の腕の実践編
① つり革を持つような姿勢から、二の腕で空気を下に押そう
動きがわかりやすい！

「部分やせカーヴィー」は、パーツ別にレッスン編と実践編があります。レッスン編では先生が動きをゆっくり解説。動きのポイントを習得できます。慣れてきたら、実践編だけを選んでおこなうこともできます。

DVDの使い方

（DVDをご使用の前に必ずお読みください）

DVDを再生し、タイトル画面が流れたあとのメインメニュー画面とサブメニュー画面の使い方を解説します。

メインメニュー画面

このDVDには「カーヴィーダンス」が３本と、「部分やせカーヴィー」の５本が収録されています。ここでは、「カーヴィーダンス」か「部分やせカーヴィー」か、やりたい項目のみが選べます。どちらかを選ぶと、それぞれのサブメニュー画面に移動し、各プログラムが選べます。

サブメニュー画面 カーヴィーダンス

ここでは「カーヴィーダンス」のプログラムが選択できます。「ゆるカーヴィー」と「メラメラカーヴィー」は＜マルチビュー＞と＜バックビュー＞が選択でき、連続再生も可能。「メラメラカーヴィー樫木先生ソロバージョン」では、先生の音声や細かいテロップがないので、動きに慣れたらトライしてみましょう。

サブメニュー画面 部分やせカーヴィー

ここでは「部分やせカーヴィー」のプログラムが選択できます。①から④までは「レッスン編」と「実践編」が選択可能。「レッスン編」で動きに慣れたら、「実践編」を活用してください。「実践編を続けて再生」では、①から④までの「実践編」が連続再生できます。

マルチビューの使い方

切り替えボタン

「ゆるカーヴィー」と「メラメラカーヴィー」で＜マルチビュー＞を選択すると、フロントビューの映像から始まります。ダンスの動きが始まったら画面左下に＜フロントビュー＞＜バックビュー＞の選択ボタンが表示されます。PCのマウスや、再生機のリモコンを使って切り替えられます。「バックビュー」から「フロントビュー」に切り替えることも可能です。

＊お願い＊
ご利用の再生機によっては、マルチビューの切り替え動作に、最大約10秒のタイムラグが生じる場合があります。これはお使いの機種によって発生するものであり、ＤＶＤの不具合ではありません。ご了承の上ご利用ください。DVDの操作についてのご質問の場合は、下記の「DVDサポートセンター」までお問い合わせください。

■本誌付録 DVD についてのお願い　（ご使用前に必ずお読みください）

＜使い方＞
この DVD は、DVD-Video 対応プレイヤーで再生できる映像と音声が収録されています。DVD-Video 対応プレイヤーで再生してください。PlayStation2 や３を使って再生される場合は、ごくまれにですが、不具合が生じる場合もあります。その場合は、当社、株式会社学研パブリッシングは動作保証の責任を負いません。詳しくは、お手持ちのプレイヤーメーカーなどにお問い合わせください。

＜使用上の注意＞
●このディスクには、高精細・高密度の映像が収録されており、再生される DVD プレイヤーおよび TV モニターの性能によって映像や音声にゆがみや乱れが生じる可能性があります。ご了承ください。●本 DVD に収録されている著作物の権利は、株式会社学研パブリッシングに帰属します。●この DVD を個人で使用する以外は、権利者の許可なく譲渡・貸与・複製・放送・有線放送・インターネット・上映などで使用することを禁じます。ただし、図書館での貸与は館内のみ認めます。

＜取り扱い上のご注意＞
●この DVD は両面とも、指紋・汚れ・キズなどをつけないように取り扱ってください。●この DVD が汚れたときは、めがね拭きのような柔らかい布で内周から外周に向かって放射状に軽くふき取ってください。●この DVD には、レコード用クリーナーや溶剤などは使用しないでください。●この DVD には、両面とも、鉛筆・ボールペン・油性ペンなどで文字や絵を書いたり、シールなどを貼ったりしないでください。●この DVD にひび割れや変形がある場合、または接着剤などで補修した場合は、絶対に使用しないでください。●この DVD は、直射日光の当る場所や、高温・多湿の場所には保管しないでください。●この DVD は、ご使用後は必ずプレイヤーから取り出し、付属のケースに入れて保管してください。

＜鑑賞上のご注意＞
●ご視聴の際は、部屋を明るくし、画面に近づき過ぎないようにしてご覧ください。●長時間かけてのご鑑賞を避け、適度に休息を取ってください。●体調の悪い方や小さいお子様の場合は、より注意が必要です。

＜免責事項＞
●本誌・弊社ならびにこの DVD に収録されている各ソフトを提供した会社は、この DVD を使用したために直接的または間接的に生じた損害について、一切の責任を負いません。この DVD は、必ず、使用者自身の責任においてご使用ください。

＜ DVD に関するお問い合わせ先＞
DVD の操作方法や不具合に関するお問い合わせ先

DVD サポートセンター（ケーエヌコーポレーション）
0120-785-572
（受付時間 10 ～ 18 時・土日祝日を除く）
＊ DVD の内容についてのご質問はお受けできません。

約60min	片面・1層ディスク	ステレオ	COLOR	MPEG-2	レンタル禁止

DVD VIDEO　16:9　2　NTSC 日本市場向け　NO

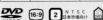

Part 1

カーヴィーダンスで全身メリハリボディ!

今回のカーヴィーダンスは美パーツづくりをより強化した内容。
その特徴や代表的な動きのポイントをわかりやすく解説します。
楽しく踊ってメリハリボディをつくっていきましょう。

気分や体調によって3つのプログラムを使い分けよう

Program 1 ゆるカーヴィー

ストレッチを効かせたゆったりとした動きで美パーツをつくろう
● DVD（約12分）

Program 2 メラメラカーヴィー

メラメラは“内なる炎”。全身を動かし、脂肪を燃やしながら美パーツをつくろう
● DVD（約10分）

Program 3 遊んでカーヴィー

子どもに戻って“なんちゃって気分”で楽しく体を動かそう
● DVD（約7分）

Start

カーヴィーダンス Program 1

ゆるカーヴィー

した動きで美パーツをつくろう

ゆったりとした気持ちで体を動かす〝ゆるカーヴィー〟。どんな動きで構成されていてどんな効果があるのかをご紹介します。ポイントをつかんでから、ＤＶＤでリラックスして体を動かしてみましょう。

ゆるカーヴィーは ここがスゴい！

1 パーツのすみずみまで伸ばして代謝のいい体に導く

ふだん動かさない部位を気持ちよく伸ばすことで関節の可動域が広がり、動きやすい体に変わっていきます。それにともない、体の代謝もＵＰします。

2 体の余分な力が抜け、じわじわと内側から引き締まる

ていねいにじわじわと動かすことで、体の余分な力が抜け、内側からギューッと引き締まります。

3 体全体が気持ちよくなるからまた踊りたくなる

ストレッチを感じながら体全体を動かすことで疲れがとれ、気持ちのいい体になれます。気持ちがいいとまた踊りたくなり、長く続けられるのです。

体をゆったり動かす気持ちよさを感じよう

〝ゆるカーヴィー〟は、ストレッチを効かせた動きを多く取り入れているのが特徴です。筋肉がガチガチのままだと、なかなか思うように体が動か

Curvy Point
ストレッチを効かせたゆったりと

P24〜27でダイジェスト版
ゆるカーヴィーレッスン開始！

こんなときにおすすめ！

- 体をほぐしたい、伸ばしたいときに
- 疲れているときに
- メラメラカーヴィーの前後に
- ゆったりとした気持ちで踊りたいときに

ず、運動効率も上がりません。そこで〝ゆるカーヴィー〟では、日常生活の動きではなかなか動かせない体の部位にアプローチしていきます。ゆったりと粘りのある動きで、可動域を広げると同時に柔軟性も高め、筋肉を内側からギューッと引き締めます。続けることで、代謝のよい体へと導かれていきます。

　また、このダンスのためにつくられたオリジナルの音楽は、「心も体も癒されて気持ちよい状態になれる」と、樫木先生も大のお気に入りです。

DVD③の動き

窓ふきmove

▼

ウエスト、背中、二の腕に効く

わき腹の伸び縮みを感じながら、窓をふくように腕を動かすと、上半身全体にしっかり効いてきます。

1

脚は開いて立つ。ひじを曲げて、片腕はわきに引き寄せ、反対の腕は頭の後ろにセットする。

↔

2

上体を横に倒しながら、窓をふくように両腕を動かす。このとき手首の力を抜き、骨盤が前や後ろに倒れないように。1、2をくり返し、逆側も同様に。

point

窓をふくように肩甲骨を意識して腕を動かす

DVD④の動き

弓引きmove

▼

背中、二の腕、ウエストに効く

弓を引くような動きを肩甲骨を意識しておこない、二の腕から背中をシェイプ。胸も気持ちよく開きます。

1

脚は開いて立つ。両腕を耳の横に上げ、肩を下げる。

↔

2

片腕は斜め上に伸ばして、弓を引くように反対のひじを引き、胸を開いて上半身を倒す。1、2をくり返し、逆側も同様におこなう。

胸を開く

point

肩甲骨から腕を動かすイメージ

DVD⑦の動き

天使の羽根move

内もも、お尻、二の腕、背中に効く

内ももとお尻を締め、ぷりんとした小尻をつくります。また腕の動きも加えて、二の腕と背中も効率よくシェイプ！

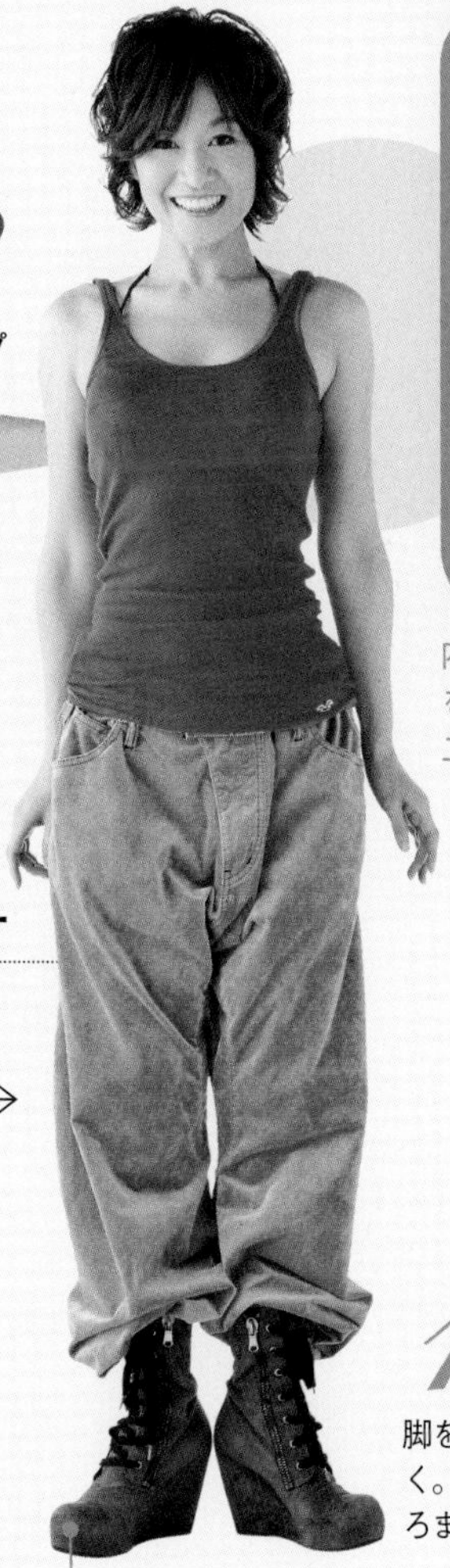
point
内ももとお尻を軽く締めながらひざを伸ばす
つま先は開ける角度でOK！

1

脚をそろえて立ち、つま先を開く。つま先の角度は開けるところまででOK。

point
肩甲骨を意識してやわらかく腕を動かす
point
おなかと背中はまっすぐをキープ
ひざはつま先と同じ方向に曲げる

2

肩甲骨を意識して両腕をやわらかく動かし、ひざをゆるめてつま先と同じ方向に曲げる。このとき、おなかと背中はまっすぐをキープし、肩は上がらないように。内ももとお尻を軽く締めてひざを伸ばす。1、2をくり返す。

ひざはつま先と同じ方向に曲げる

3

ひざを曲げた状態で前屈する。ひざが内側に入らないように注意して。できる人は両手を床に、むずかしければひざの上に置く。

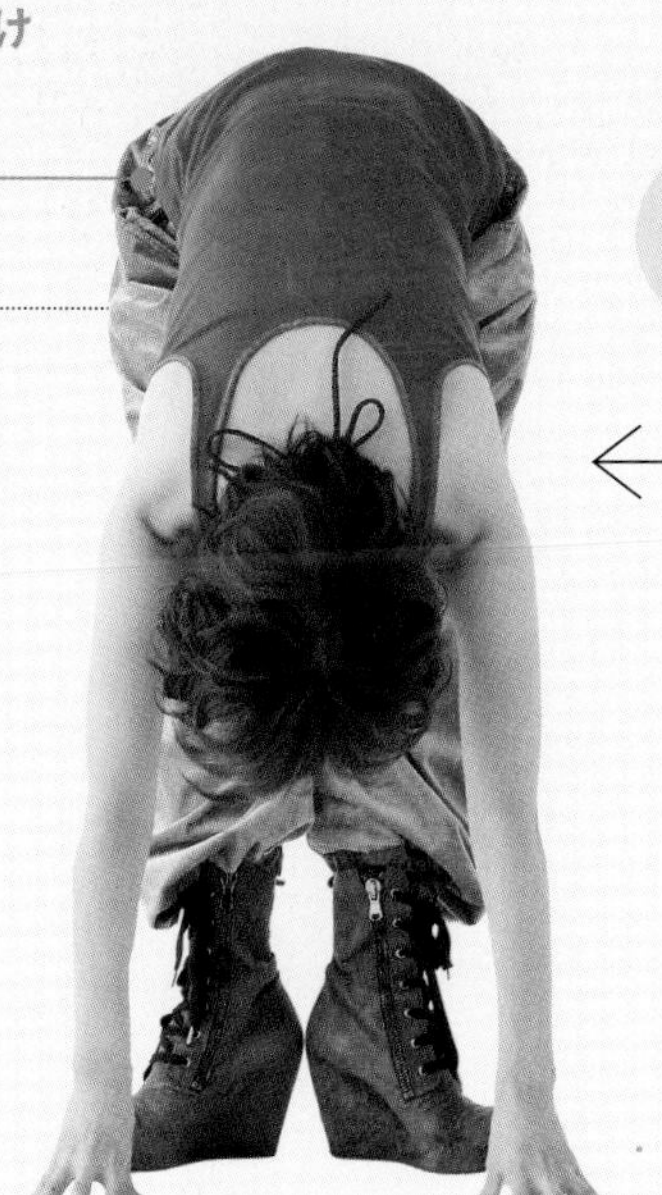
お尻はできるだけ天井に向けて
point
内ももを締めながらひざを伸ばす

4

前屈した状態で、お尻をできるだけ天井のほうに向け、内ももを締めてひざを伸ばす。3、4をくり返し、最後はおなかを丸めながらていねいに起き上がる。

DVD⑥の動き

ボートこぎmove
▼
股関節まわり、もも裏、背中に効く

ボートをこぐような腕の動きもつけて、ふだんなかなか意識しにくい脚のつけ根ともも裏を気持ちよく伸ばします。

もも裏を伸ばす
point
ひざは
伸ばしたまま
つけ根から
上体を倒す

point
つけ根を
意識して
恥骨を
前に出す
つけ根を
伸ばす

1

脚は開いて立つ。上体を斜めに向け、両ひじを引きながら、脚のつけ根を前に出してしっかり伸ばす。このとき腰が反らないように気をつけて。

2

ひざを伸ばしたまま、脚のつけ根から上体を前に倒して両腕を後ろへ伸ばす。もも裏のストレッチを感じて。1、2をくり返し、逆側に向いて同様におこなう。

DVD⑧の動き

丸めて開いてmove
▼
おなか、背中、バストに効く

おなかから背中を動かして、より効果的に上半身全体の柔軟性を高め、しなやかボディをつくります。

胸を開く

おなかを
丸める

1

脚は開いて立つ。片手は肩に置き、反対の手はおなかに当てる。ひざをゆるめながら、おなかをグーッとへこませるように丸める。

2

ひざを伸ばしながら上体を起こし、手を置いた肩を後ろに引き、肩甲骨をグーッと寄せて胸も大きく開く。1、2をくり返し、逆側も同様におこなう。

DVD⑩の動き

斜めに脚をクロスmove
▼
体側に効く

脚をクロスしてわき腹を伸ばし、体の側面を気持ちよくストレッチ。

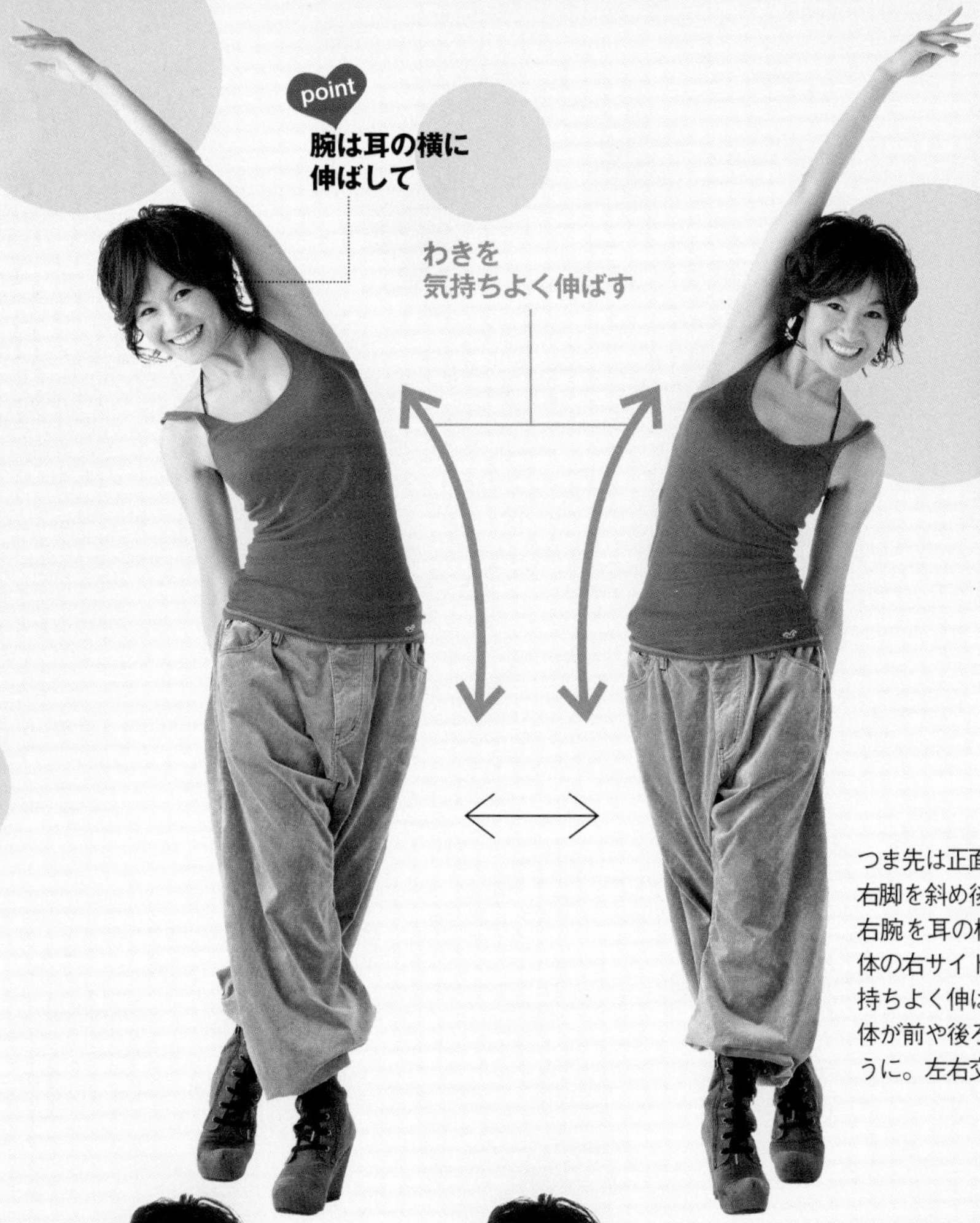

point
腕は耳の横に伸ばして

わきを気持ちよく伸ばす

つま先は正面に向けたまま右脚を斜め後ろにクロスし、右腕を耳の横に伸ばして、体の右サイドをグーッと気持ちよく伸ばす。このとき体が前や後ろに倒れないように。左右交互におこなう。

DVD⑪の動き

竹馬move
▼
ウエスト、お尻に効く

わき腹をギュッと縮めてお尻を持ち上げ、くびれをつくります。竹馬で歩くイメージでおこなってみて。

point
わき腹を縮めてお尻を持ち上げるイメージ

point
わき腹を縮めてお尻を持ち上げるイメージ

脚は肩幅に開き、つま先は正面に向ける。片側ずつわき腹を縮めて、左右交互にお尻を持ち上げるイメージで。肩や脚の力は抜く。

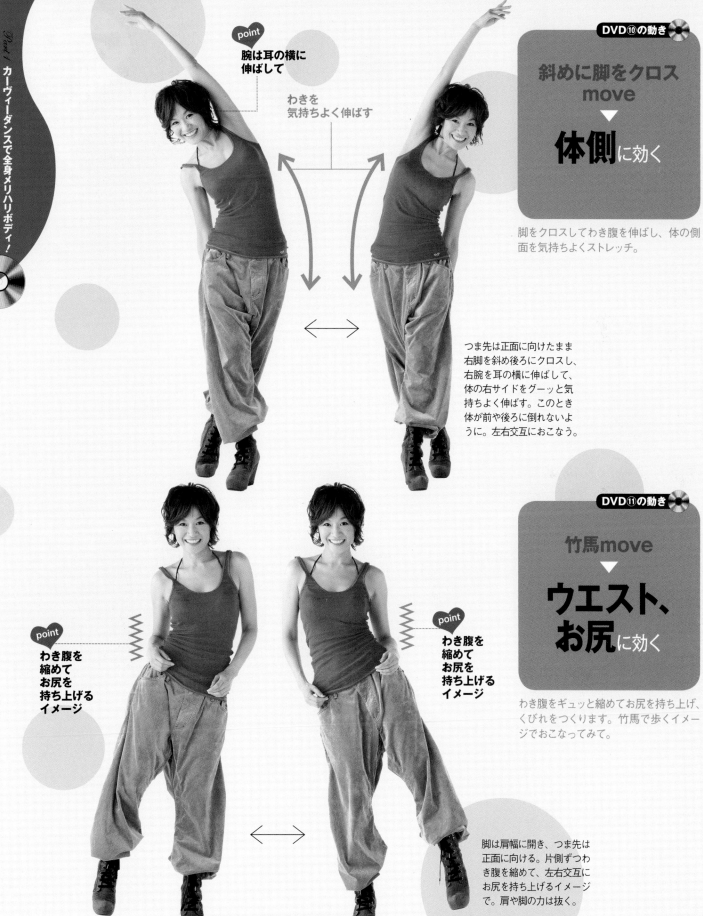

カーヴィーダンス
Program
2

メラメラカーヴィー

〝メラメラカーヴィー〟はなぜ効率的に美パーツをつくれるのか、脂肪燃焼のためにどんな工夫がされているのか？ その効果の秘密を徹底分析。ポイントを頭に入れたら、DVDで美ボディをつくりましょう！

燃やしながら美パーツをつくろう

ワイパー ワイパー

マーメイドを イメージして

メラメラ メラメラ

メラメラカーヴィーの ここがスゴい！

1 メラメラは“内なる炎” 体全体を動かして 美パーツづくり

“内なる炎”をイメージして体全体を動かし、内からじわじわと効かせていきます。“体幹からの意識”を忘れずに効率よく美パーツをつくりましょう。

2 シンプルな動きだから 集中して効かせられる

一つひとつの動きがシンプルだから続けることで動きに慣れ、効かせたい筋肉をしっかり意識でき、気になるパーツを集中的にシェイプできます。

3 大きな振りの動きも多く 脂肪燃焼効果がUP！

ダンス全体に腕を大きく動かしたり、腰を振ったり、ももを上げたりなどの工夫がされているので、運動量がアップ。脂肪を燃やす効果も高まります。

メラメラは〝内なる炎〟 体全体を動かし、効率よく美ボディに

〝メラメラカーヴィー〟は、脂肪を燃焼させながら、美パーツづくりができる最強のプログラム。体全体を動かしながら、ウエスト、おなか、二

Curvy Point

メラメラは"内なる炎"全身を動かし、脂肪を

メラメラ燃やすよ
ウエストを絞るよ
バットマンだよ

P30～33でダイジェスト版
メラメラカーヴィーレッスン！

こんなときにおすすめ

- 気持ちよい汗をかきたいとき
- 脂肪を燃焼したいとき
- 気になるパーツに効かせたいとき
- リズムにのって楽しく踊りたいとき

の腕、バスト、背中、お尻などのパーツに効かせていきます。動きはあえてシンプルにして、効かせる筋肉を意識しやすくしてあるので、気になるパーツを集中的にシェイプすることができます。さらに、腕を大きく使う動きなどをいろいろ取り入れて、脂肪燃焼効果も高めています。〝メラメラ〟というと激しい感じですが、動くときは〝内なる炎〟をイメージして。〝体幹からの意識〟を忘れずに粘っこく動かして内からじわじわと効かせましょう。そうすれば、体の芯から気持ちのいい汗をかいて美ボディづくりができます。

DVD②の動き

マーメイドmove

▼

ウエスト、背中、二の腕に効く

骨盤と肩甲骨を意識して動かします。マーメイドのような曲線美をイメージして動き、ウエストに効かせましょう。

point
縮めて
point
ひじを軽く曲げて
肩甲骨から動かす
イメージで

脚をそろえて立ち、ひざをゆるめる。ひじを軽く曲げて両腕を上げる。腰を右に振り、それに合わせて、右のわき腹を縮め、右ひじを右腰に近づけるように動かす。逆側も同様に。

腰も腕も
同じ方向に
振って
point
縮めて
point
肩甲骨を意識して
わきから腕を
動かす

両腕を上げ、肩は下げて力を抜く。ひざをゆるめたまま腰を右に振り、右のわき腹を縮めて両腕を右に振る。腰の動きに合わせて、肩甲骨を意識してわきから腕を動かして。逆側も同様に。

右腕は体側に伸ばし、左手の指先を左肩に添える。ひざをゆるめたまま腰を右に振り、それに合わせて右のわき腹を縮め、肩甲骨を意識して右肩を下げる。逆側も同様におこなう。

point
肩甲骨を意識して
肩を下げる
point
縮めて

DVD③の動き

ワイパー move
▼
二の腕、背中、ウエストに効く

ひじの位置をなるべく固定し、腰の動きに合わせて、ひじから先をワイパーのように動かして上半身に効かせよう。

脚は開いて立つ。腰を右に動かしながら右腕を横に伸ばし、左腕はひじから曲げて頭の後ろに。次に、腰を左に動かし、右腕はひじを曲げて頭の後ろに。左腕はひじから先を伸ばす。このときひじの位置をなるべく変えないように意識して。両腕をワイパーのように左右交互に動かす。

DVD③の動き

わきわきmove
▼
ウエスト、わき、背中に効く

効かせのポイントは“わき”。肩甲骨を意識してわきから腕を動かし、わき腹を縮めてわきから背中、ウエストをシェイプ！

1

脚は開いて立つ。右腕をなるべく耳の横に上げ、腰を右に振るのに合わせて、肩甲骨を意識してわきから右腕を右に動かし、わき腹を縮める。

2

腰を左に振りながら、肩甲骨を意識してわきから右腕を左へ動かし、わき腹を縮める。逆側も1、2を同様におこなう。

DVD④の動き

バットマンmove

おなか、二の腕、背中に効く

おなかの力で脚を引き寄せ、おなか全体に効かせます。コウモリをイメージした腕の動きで、背中の引き締めもプラス。

1

脚をそろえて立ち、両腕は体側に伸ばす。

point 手首と肩の力は抜く

point おなかで脚を引き寄せるイメージで

2

おなかを丸めて右脚を引き寄せながら、両腕を肩のラインまで上げる。手首と肩の力を抜き、肩甲骨を意識して腕をやわらかく動かすこと。逆側も同様に。

DVD⑥の動き

おしぼりツイストmove

ウエスト、お尻、二の腕に効く

ウエスト、お尻、二の腕をおしぼりを絞るようにひねり上げましょう。

1

右脚に重心を置き、左の足先を一歩前に出す。左腕のひじを軽く曲げる。

おしぼりを絞るように腕も絞る

ウエストを絞ってお尻をアップ

point 縮めて

2

右脚重心で、左のわき腹をツイストして、お尻を上げる。このとき、肩甲骨を意識して、おしぼりを絞るように腕をひねると、さらに絞れる。逆側も同様に。

DVD⑦の動き

二の腕ふりふり

立ち腹筋move ▼ 全身に効く

下腹にじわじわ効かせる“立ち腹筋”に腕の動きをプラス。背中や胸も動かし、脂肪燃焼効果もアップ！

point
手首の力を抜いて
二の腕を揺らすように

お尻が締まるから
恥骨が前に出る
イメージ

1

脚を開いて立ち、ひざをゆるめて右斜めを向く。お尻が締まるから恥骨が前に出るイメージで骨盤を動かして下腹部に効かせ、右腕を前に伸ばす。

point
肩甲骨を
縮めて

2

肩甲骨をギュッと縮めて右ひじを引き、胸を開く。テンポよく1、2をくり返す。逆側も同様におこなう。

point
肩甲骨を寄せて
胸を開く

脂肪を燃やすよ

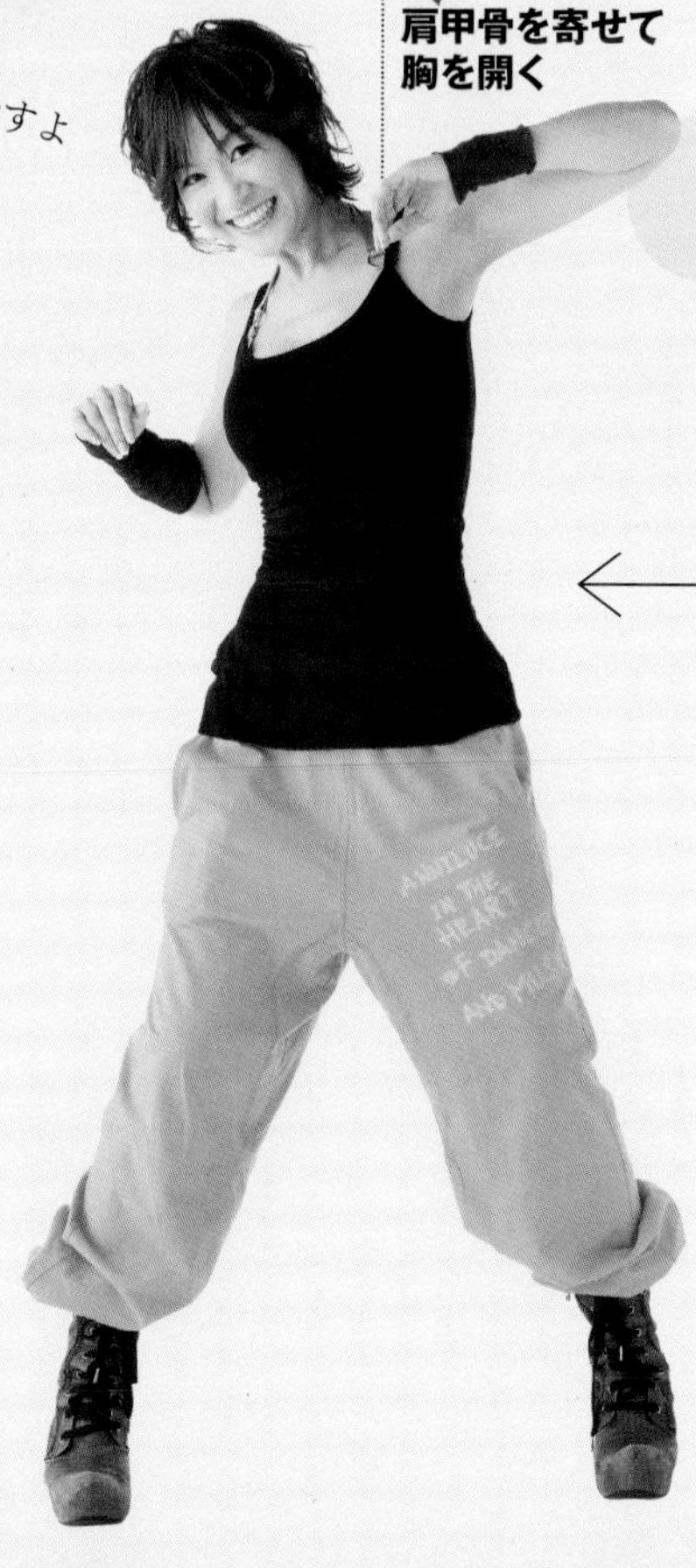

お尻が締まるから
恥骨が前に出る
イメージ

3

上体の向きを、右斜め、左斜めと交互に変え、両腕の動きをつけて、1、2の要領で立ち腹筋をおこなう。

カーヴィーダンス
Program 3

遊んでカーヴィー

元気よく行進するフリをしながら、楽器を演奏するマネをしたり、いろいろなスポーツの動きを自由に取り入れながら楽しむダンスです。お子さんや仲間といっしょに楽しんでください！

楽しく体を動かそう

軽やかにステップして

ウエストをひねるように、脚をクロスしてタッチ。腕の動きもつけて楽しくステップ！

鼓笛隊の主指揮者だよ

鼓笛隊の主指揮者になった気分で二の腕を大きく動かしましょう。

家族や仲間とも
楽しめるよ

指揮をとろう

指揮者になったつもりで、ダイナミックに、繊細に、指揮をとるように腕を動かします。

ポッポー

子どものときに遊んだ、汽車ポッポごっこをするつもりで、ステップを踏みながら腕を回します。

Curvy Point

子どもに戻って“なんちゃって気分”で

ストライクを
ねらうよ

ボウリングのフィニッシュは腕を上げてしっかりわきを伸ばそう。

ひとりキャッチボール!!

ピッチャーになって投球したり、キャッチャーになってボールを受けたり。“なんちゃって気分”で楽しくやってね。

いろいろなスポーツを
愉快に楽しもう！

元気よく、でも
足音は立てないでね

足踏みをするときは、おなかの力で脚を上げるように、がんばってやってみて。

しこを踏むよ

関取になった気分で、しこを踏むようにバランスをとりながら、お尻やおなかに効かせましょう。

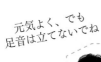

Kashiki's Message

ボディを変えて キレイになりたい 女性へ

体重よりも 見た目の変化に 目を向けよう

「ダイエットというと、体重にとらわれてしまう方が多いようです。体重ばかりを気にしていると少しの増減に一喜一憂してしまい、ボディづくりが苦しくなり、うまくいかないことが多いんです。そんなときは、実感で得られる変化に目を向けてみましょう。見た目にボディラインが変わったり、着たい服が着られるようになったりするほうが大切だし、うれしいですよね！ 私自身も“見た目以上に体重があるんですね”と驚かれるのですが(笑)、私にとって重要なのは、体重よりもボディライン。今の私のボディをキープするのに必要な体重だと思っています」

心も体も粘りが 大切だよ！ あきらめないで

「カーヴィーダンスには、日常生活ではあまりしない動きが入っていますが、とても大切な動きなんです。慣れないうちは、うまくできないこともあると思います。粘るリズムにもしっくりこないかもしれません。でも、“私はリズム音痴だから”といってあきらめないでほしいんです。体って続ければ少しずつ器用になり、不思議と上手に動けるようになっていきます。そうなれば、効かせどころもわかって、ボディラインも確実に変わってきます。だからあきらめないで、心も体も粘って続けていきましょう」

がんばり過ぎない。 それも ダイエット成功の秘訣

「ハードに運動をしないと体は変わらないとか、1日でも運動を休むとダメと思い込んで、ダイエットをがんばり過ぎていませんか？ 自分を追い込んでストイックになり過ぎると、心にゆとりが持てず、ストレスの原因にもなってしまいます。寝不足のときや疲れがたまっているときなどは、ムリをしないで、思いきって休むことも必要なんです。そうやって上手に切り替えると、またリフレッシュして体づくりができる。それが成功につながります。がんばり過ぎないことも大切なんです」

体は必ず変わる。
その変化を
楽しんで

Let's

体が変わることで加速度的にキレイになれる

「くびれができた、姿勢がよくなったなどカーヴィーダンスで、体が変わってきたら、外出時などに、他の人の体もチェックしてみて。ボディラインや姿勢の美しさ、後ろ姿のカッコよさなど、以前とは違う視線で分析できると思います。ただ体重を落とせばよいということではないとわかり、自分のボディのよくなった部分も改めて認識できるはず。それが新たな自信になって、心も前向きになれる。それが女性をもっともっとキレイに輝かせてくれるのです」

自分の体を
好きになろうね

姿勢がよくなるだけでボディは変わってきます

「姿勢がよいだけで体はカッコよく見えます。人の体で一番目に留まるところは、むしろ姿勢なのかもしれません。悪姿勢による体のゆがみや不調もあなどれません。真のカーヴィーボディの究極は姿勢を正せることが苦にならない体をつくり上げることです。生活の中で意識するだけでもかなり違います。姿勢がよいだけでシェイプアップしやすい体になっていけますよ」

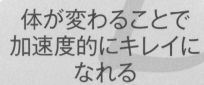

So Beautiful

Kashiki's Message

カーヴィーダンスで 極上曲線美 ができる理由

みんなで
自分のBODYを
育てようね！

1 ダンスの連動する動きで効率的にボディメイクできる

「カーヴィーとは曲線的という意味。体を曲線的に動かしたり、体中の筋肉を連動させながら、効率的にカーヴィーボディをつくります。つらい筋トレはありません」

2 粘っこく動かしてじわじわ効かせる

「カーヴィーダンスでは粘るリズムで体を動かします。跳ねたり反動をつけたりしないで、筋肉をゴムまりのように伸縮させて使うと、筋肉がいつも使われている状態になり、じわじわと効いてきます」

3 楽しく踊って全身を動かして脂肪燃焼ができる

「音楽にのって楽しく体を動かしながら、体の奥の筋肉にしっかり効かせます。運動が苦手な人でもじわじわと気持ちのいい汗をかけ、体の内からメラメラと脂肪を燃焼していけます」

4 ウエストがコルセットをつけたように引き締まる

「ボディづくりのキーとなる骨盤や肩甲骨にスポットを当て、集中的に刺激。するとふだん動かさない部分に刺激が入り、奥のほうからギューッと締まり、次第にくびれができてきます」

5 ストレッチ効果があるから気持ちのいい体になれる

「ストレッチ効果のある動きなので、続けているうちに、柔軟性も高まり、体の中から温かくなれるので、肩こりなどの不調もいつの間にか改善。気持ちいいと感じる体になれます」

Part 2

部分やせカーヴィーで美パーツを極める！

パーツ別にさらに磨きをかけたい人のために、カンタンなスペシャルエクササイズを用意。カーヴィーダンスにプラスして、悩みのパーツを自慢のパーツへ変えよう！

Start

レッスン編は樫木先生が皆さんのパーソナルトレーナーになったように教えてくれるよ

1 おなか＆ウエスト編
下腹を引き上げ、くっきりくびれをつくろう
● DVD（約1分レッスン編＋約2分実践編）

2 二の腕編
引き締まったしなやかな二の腕をつくろう
● DVD（約1分レッスン編＋約2分実践編）

3 美乳＆背中編
背中をスッキリ、バストをアップしよう
● DVD（約1分レッスン編＋約2分実践編）

4 美脚＆美尻編
ぷりんとした美尻からの美脚ラインをつくろう
● DVD（約1分レッスン編＋約2分実践編）

5 やせ力UPストレッチ
体を動かしながら伸ばしてやせやすい体に
● DVD（約5分ストレッチ）

部分やせ
カーヴィー1

おなか&ウエスト編

下腹を引き上げ、くっきりくびれをつくろう

DVD①の動き

わき腹を感じながらウエストに効かせよう！

腕はなるべく耳の横に
point
骨盤が前や後ろに傾かないように

脚は開いて立つ。片腕を耳の横に上げ、肩は上がり過ぎないように。上体を横に倒し、わき腹を感じながらわき腹の力で上体を戻す。逆側も同様に。

DVD②の動き

立ち腹筋で下腹を引き上げよう

お尻が締まるから恥骨が前に出るイメージ
point
反り腰に注意して

脚は開いて立ち、ひざをゆるめる。下腹部と腰に手を当て意識を高めながらおなかと背中をまっすぐに保つ。お尻が締まるから恥骨が前に出るイメージで骨盤をじわじわ動かす。これを数回くり返す。

DVD③の動き

ウエストをひねって くびれをつくろう

point
腕もひねると
より絞れる
ウエストを
ギューッと絞って

ひざをやわらかく使って骨盤からひねるように動かしてつま先を前にタッチ。このとき、肩甲骨を意識して腕もひねる。左右交互に続けて。慣れてきたらスピードの強弱もつけてみて。

部分やせ
カーヴィー
2

二の腕編

引き締まったしなやかな二の腕をつくろう

DVD①の動き

つり革を持つような姿勢から二の腕で空気を下に押そう

point
肩甲骨を意識して
腕を動かす
腰も
動かして
わき腹も
いっしょに
縮めて
さらに
効かせる

脚は開いて立ち、つり革を持つように片腕を上げる。二の腕で空気を押し下げるようなイメージでひじと腰が近づくように動かす。これを数回くり返し、逆側も同様におこなう。

DVD②の動き

二の腕で空気を押して両わきに引き寄せよう

point
空気を
負荷にして
効かせる
イメージで

脚は開いて立つ。手のひらを下にし、両腕を肩から横に伸ばす。手のひらが上に向くよう腕をひねって、空気を負荷に感じるようにひじをわきに引き寄せる。これを数回くり返す。

DVD③の動き

蛇口をひねるように腕を動かし、次に空気を押してさらに二の腕に効かせよう

point
おしぼりを絞るように二の腕を動かす
point
ひじはなるべく動かさない
point
二の腕で空気を押すイメージ

脚は開いて立つ。蛇口を持ってひねるように、二の腕を絞るように動かす。

腕を内側にひねった状態で片ひざをゆるめて上体を前に倒す。ひじの位置を変えずに、ひじから先の曲げ伸ばしをおこなう。手のひらで空気を押すように意識して。

同じ姿勢で腕を伸ばしたまま、二の腕で空気を押すようなイメージで腕全体を小さく上に動かす。これを数回くり返し、逆側も最初の動きから同様におこなう。

部分やせカーヴィー3

美乳&背中編

背中をスッキリ、バストをアップしよう

DVD①の動き

おなかを丸めてから胸をしっかり開こう

point

肩甲骨を中央に寄せて胸をグッと開く

親指はわきの下につけたままで、ひじを後ろに回しながら、左右の肩甲骨をグッと中央に寄せ、胸を大きく開く。上半身を起こすと同時にひざを伸ばす。最初から数回くり返す。

point

親指はわきの下に当ておなかを丸める

脚は開いて立つ。親指をわきの下につけて、ひざをゆるめ、おなかを丸める。

DVD③の動き

エアープッシュで胸と背中に効かせよう

point
空気を押す
イメージで
point
肩甲骨を
寄せて

手のひらで空気を押すようなイメージでプッシュアップし、上体を起こす。このときおなかと背中はまっすぐをキープして。最初から数回くり返す。逆側に向いて同様におこなう。

脚は前後に開く。腕は肩幅より少し広めに開き、肩甲骨を寄せてひじを曲げる。おなかと背中をまっすぐにして上体を前に倒す。

DVD②の動き

胸を寄せるように腕で締め、下から突き上げよう

下から胸を
突き上げる

脚は開いて立つ。両腕は手のひらを上に向けて肩のラインに伸ばす。胸を寄せるように両腕を中央に向かって締め、下から胸を突き上げる。猫背にならないよう、少し背中を張るイメージで。最初から数回くり返す。

部分やせ
カーヴィー
4

美脚&美尻編

ぷりんとした美尻からの美脚ラインをつくろう

DVD①の動き

**つま先を開いて
ひざの曲げ伸ばし
をおこない、内ももと
お尻を締めよう**

両腕は肩甲骨を
意識してひじから
ふわりと上げる
ひざは
つま先と
同じ方向に
曲げる
point
お尻と内ももを
締めるように
脚を閉じる

かかとを合わせ、つま先は開ける範囲で外側に向け、おなかと背中はまっすぐにして立つ。上体はまっすぐをキープしたまま、ひざをつま先と同じ方向に向けて軽く曲げる。そこから内ももとお尻を締めるようにひざを伸ばす。これを数回くり返す。

DVD②の動き

**ひざを曲げてから
かかとを上げて
さらに内ももとお尻を
引き締めよう**

point
頭から上に
引っ張られている
イメージで
ひざはつま先と
同じ方向に曲げる

脚は腰幅より少し広く開いて、つま先は開ける範囲で外側に向ける。おなかと背中がまっすぐになっていることを意識して、股関節をゆるめ、ひざをつま先と同じ方向に曲げる。

DVD③の動き

片脚ずつ横に上げてお尻の横と内ももに効かせよう

point
脚の力で上げるのではなく、お尻と内ももの意識でおこなって

脚をそろえて立ち、腕は前と横に伸ばす。おなかと背中をまっすぐにキープしたまま軸足に体重を移動させて、反対の脚はお尻の横を意識して持ち上げ、内ももを意識して戻す。このとき、つま先は前に向けておく。これを数回くり返し、逆の脚も同様におこなう。

point
おなかと背中をまっすぐにキープ

point
頭の位置はなるべく変えないように

意識はふくらはぎではなく、内ももとお尻

頭の位置はなるべく変えないようにし、両脚のかかとを上げ、おなかと背中をまっすぐにキープして、ふくらはぎの力ではなく内ももとお尻を意識してバランスをとる。

point
頭から上に引っ張られているイメージで

point
お尻と内ももを締めながらひざを伸ばす

意識はふくらはぎではなく内ももとお尻

両脚のかかとを上げた状態で、お尻と内ももを締めながらひざを伸ばし、バランスをキープしながらかかとを下ろす。このときも、頭から上に引っ張られているようなイメージで体を引き上げる。最初の姿勢に戻り、数回くり返す。

部分やせ カーヴィー 5

やせ力UPストレッチ

体を動かしながら伸ばしてやせやすい体に!

point
丸める
point
伸ばす

1 開脚の状態で、おなかを丸めて伸ばすをくり返そう

床に座って両脚を開く。ひざを軽く曲げてつま先を上げ、ひざが内側に倒れないようにし、両腕はひざの上に伸ばし、骨盤の上になるべく背骨をまっすぐ立てる。その状態から、下腹部からおなかを丸めて伸ばすをくり返す。

2 上体を前に倒してリラックス

1のおなかを丸めた状態から、上体を前に倒す。前屈はできる範囲でOK。ひざがなるべく内側に倒れないようにしていきましょう。

point
できる人は
ひざを伸ばして。
脚の裏側が伸びるよ

3 上体を脚のほうに倒してリラックス

右脚のほうへ上体を倒す。このときもひざが内側に倒れないようにし、できる人はひざを伸ばして脚の裏側をストレッチ。逆側も同様におこなう。

4 脚のつけ根と前ももを伸ばす

両手を後ろの床について体を支える。ゆっくりとひざを内側に倒し、脚のつけ根と前ももを伸ばす。これを左右交互におこなう。

5 脚をクロスして、おなかを丸めて伸ばそう

右脚を床に伸ばし、左脚を右脚にかけてクロスさせる。左手は床に、右手は左脚のひざの外側に置いて、上体を左にひねる。その体勢でおなかを丸めて伸ばすをくり返す。最後に背中を伸ばし、気持ちのよいところで数秒キープ。逆側も同様におこなう。

6 お尻と脚の裏側を伸ばそう

５の姿勢からクロスした脚の股関節を開き、足首をももの上にのせる。できる範囲で上体を前に倒す。

7 さらに脚の裏を伸ばそう

伸ばした脚のつま先の上に、もう一方の脚のかかとをのせて脚の裏側をさらに伸ばし、軽く前屈する。６、７を逆側も同様におこなう。

8 お尻を持ち上げよう

両脚を前に伸ばす。両手は後ろについて、肩の力を抜いて気持ちよいと思えるところまで、お尻を軽く締めて持ち上げる。

9 前屈して、左右に揺れるようにお尻を動かそう

できる範囲で前屈し、持てるところで脚を持つ。重心を右のお尻、左のお尻と交互に移して、揺れるように片側ずつお尻を動かす。

10 脚をバタバタ動かしてほぐす

両脚を伸ばし、両手を後ろの床についてリラックス。ひざをゆるめて両脚をバタバタ動かす。

So Curvy

Kashiki's Message

カーヴィーダンスの効果を上げる
体の動かし方のポイント

1

リズムをたっぷり使って粘ろう

「反動を使ったり跳ねたりせずに、リズムをたっぷり使って、粘っこく動いてみて。そうすると筋肉がいつも使われている状態になり、体の奥までじわじわと効いてきます」

2

空気を負荷にしよう

「腕を動かすときは、空気の重さを感じるイメージを持ち、意識を集中してていねいに動かしてみて。ダンベルなどを使わなくても十分に体に手応えがあります」

3

体幹からの意識を大切にしよう

「体幹からの意識を忘れないで、“おなかで脚を引き寄せる”など、体幹の軸を意識しながら手脚を動かすようにしていきましょう。次第に軸がとれるようになると、体はぐんぐん変わっていきます」

目指せ
マーメイド
ライン

4

美しく見せることを意識して動いてみよう

「動きに慣れてきたら、自分の動きを鏡に映して研究してみて。より美しく見せようと意識して動かすと、次第に美しくラインはつくられていくものです」

新カーヴィーダンス
成功者レポート

この本でご紹介する新プログラムに5人の方がさっそくトライし、全員に10日間でうれしい効果が出ました！　その成功談をご紹介します！

成功者 Report 1

Profile
約一年前からダイエットを始めて17kgの減量に成功するものの、停滞期に突入。そこから抜け出して、さらにシェイプアップするのが目標。悩みのパーツは背中とおなか。

美恵子さんのサイズ変化

ウエスト	結果 −7.5cm
下腹	結果 −9.5cm

（実施期間：10日間）

目に見えて体が変わる。だからやる気が出ました！

美恵子さん（39歳・医療事務）

ＤＶＤがわかりやすくて楽しいので、苦労なく続けられました。ひとつのプログラムが10分程度というのも、飽きずに集中してできます。しかも、毎日目に見えて結果が出るのでやる気が出るんです。始めて3日で主人に姿勢がよくなったと言われ、4日目にはウエストマイナス4.0cm。5日目にはいつも穿いているジーンズがゆるくなり、6日目には母にくびれができたと言われました。9日目にはおなかのたるみも、二の腕のぷよぷよ感も減りました！　わずか10日間で体重マイナス4.1kg、アンダーバストマイナス7.5cm、ウエストマイナス7.5cm、下腹マイナス9.5cm、ヒップマイナス6.5cm、太ももマイナス5.0cm！　と結果が出て、カーヴィー効果にびっくり！　しかも、よく眠れるようになって肩こりも改善と、いいことずくめです。

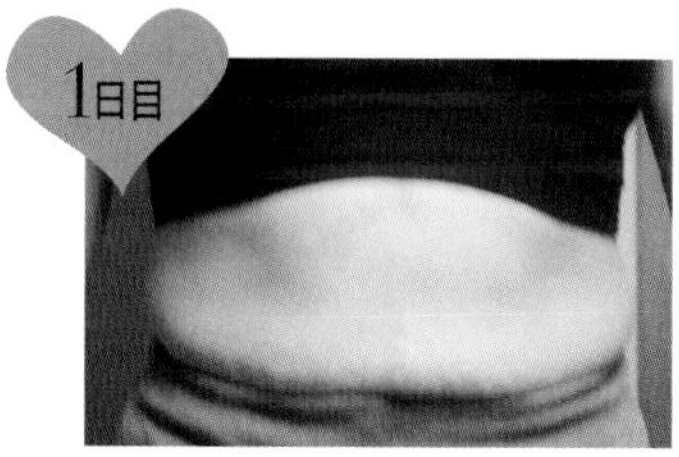

おへその上に脂肪が…

１年かけての減量でかなり体重は落ちたものの、まだおなかや背中に余分な脂肪があるのが悩みとか。そのたるみがおへその上にのっています。

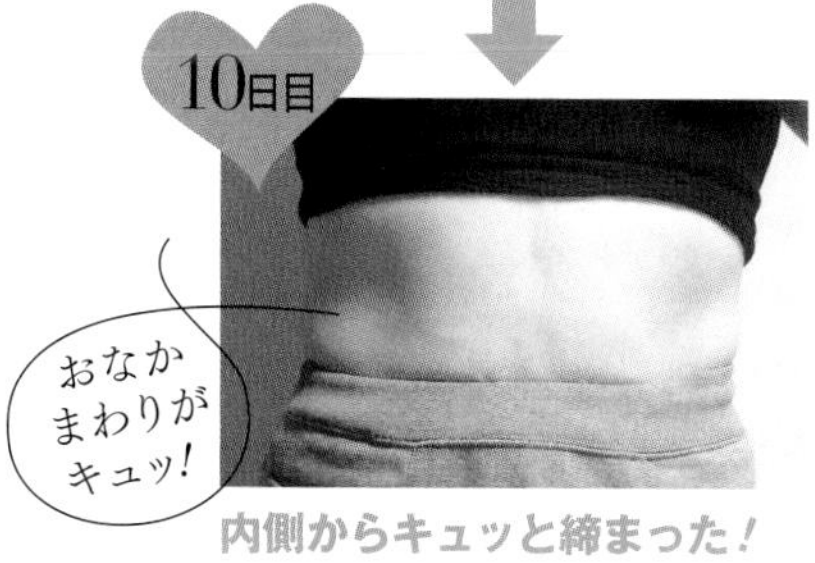

内側からキュッと締まった！

アンダーバストから太ももまで、すべてかなりのサイズダウン。おなかのたるみもなくなり、引き締まった印象に。くびれもできてきました！

成功者
Report
2

おなかは締まりバストも上がりました！

恵理さん（41歳・薬剤師）

カーヴィーダンスはシンプルな動きなのに各パーツに効いているのを実感します。ゆるカーヴィーは疲れたときに踊ると元気になれますし、メラメラカーヴィーは普通の腹筋運動で動かせない部位を刺激できるのが◎。バレエを習っている9歳の娘も〝ウエストにすごく効く〟といっしょにやっています。始めて4〜5日あたりからウエストあたりがピッとしてきて、ソフトガードルをはいているような感じに変化。さらに、部分やせカーヴィーの美乳&背中編のおかげか、バストのトップ位置もアップ。ブラをつけた感じがまったく違うんです。美脚&美尻編のエクササイズも上げたいお尻の筋肉にしっかり効きます。覚えるとちょこっとできるのがいいですね。

1日目

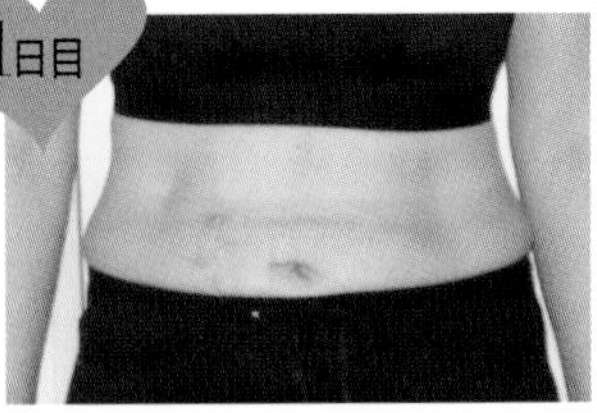

ウエストにぷにょ肉が…

全体に太っているわけではないけれど、悩みというおなかは少しゆるんだ印象。ウエストラインに少しぜい肉がはみ出しています。

10日目

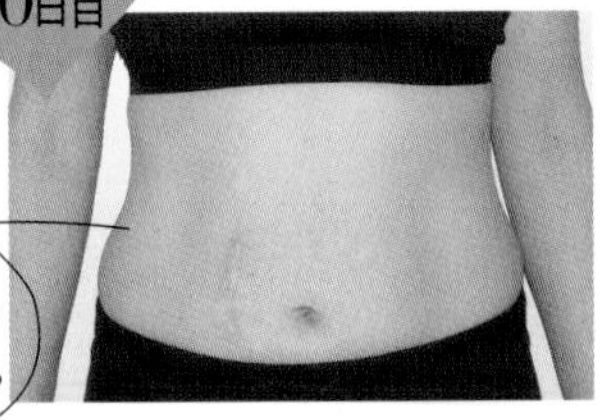

筋肉のガードルができた

おなかが引き上がり、引き締まった印象に変化。恵理さん自身も実感しているように、内側に筋肉のガードルができてきた証拠!!

Profile

4人のお子さんの出産で増えた体重を減らそうと食事中心のダイエットで約10kg減。その後、運動も取り入れ、トータル20kg以上のダイエットに成功。気になるのはおなか。

恵理さんのサイズ変化

ウエスト	結果	−2.4cm
ヒップ	結果	−3.0cm

（実施期間：10日間）

成功者
Report
3

時間を気にせず、ストレスなく続けられました！

すわりつこさん（39歳・看護師）

カーヴィーダンスはドタバタする動きがないので、マンション住まいの私にぴったり。夜遅くでも気にせずにできるのがよかった！

それにハードな動きもないので、ついていけなくて困ることもなく、やりやすかったです。

メラメラカーヴィーは動きがカッコよく、先生のようなボディになりたいなと踊りながらモチベーションもアップ。ゆるカーヴィーは体の硬い私でも楽しくできて、ストレッチ効果があって気持ちいい！ 部分やせカーヴィーは動きを覚えると生活の中にちょこちょこ取り入れられるのがよかったです。肩甲骨あたりをよく動かしたせいか、ひどい肩こりもラクになり、背中もスッキリ。ウエストや太ももも締まりました。

1日目

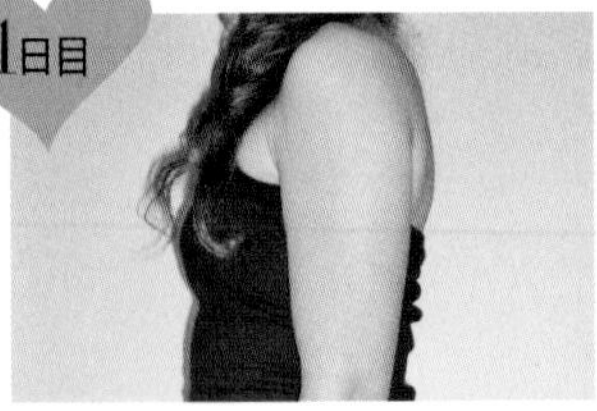

猫背気味でメリハリ不足

もうひと絞りしたいというすわさんは、体全体が少し重い印象。もう少し女性らしいメリハリをつけるのが目標。背中も少し丸く、猫背気味。

10日目

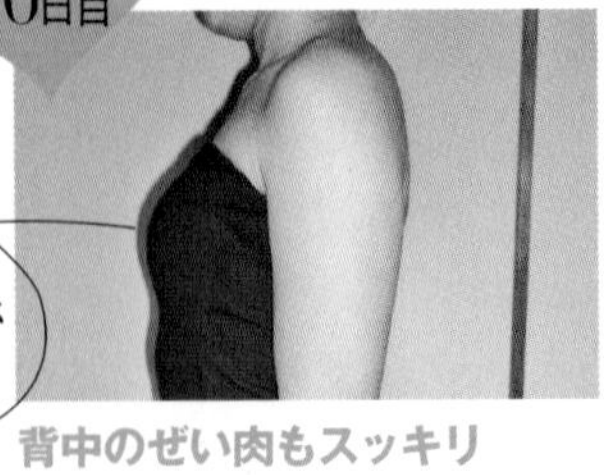

背中のぜい肉もスッキリ

姿勢もぐっとよくなり、わきから背中がスッキリ。体の前側も後ろ側もぜい肉がとれて、アンダーバストもウエストもシェイプできました。

Profile

いちばんやせていた頃に比べ、体重が10kg近く増えてしまったのが悩み。看護師という職業柄、勤務時間が不規則なので、時間に関係なく家でできるダイエットを模索中。

すわさんのサイズ変化

アンダーバスト	結果	−2.7cm
ウエスト	結果	−4.5cm

（実施期間：10日間）

成功者 Report 4

動くと気持ちいいから また踊りたくなります

N・Hさん（46歳・主婦）

カーヴィーダンスは、ふだん使っていない筋肉を刺激できるようで、最初はウエストあたりが筋肉痛になりました。いくつかあるプログラムのなかでは、ゆるカーヴィーがいちばんのお気に入り。カンタンな動きなのに、おなか、ウエスト、腕などに内側からしっかり効いている感じがあって、しかもストレッチしている感じが、すごく気持ちいい。気持ちいいからまた踊りたくなります。

10日間続けるなか、忙しくて踊れない日もあったり、外食で食べ過ぎた日もありましたが、最終的にウエストマイナス4.0cm、下腹マイナス1.0cm、ヒップマイナス2.0cm、太ももマイナス2.0cm、二の腕マイナス3.0cmと全体的にサイズダウン！ 友人からも「脚が細くなったねと言われてうれしいかぎり」。これからも楽しんで続けます！

Profile
40代に入ってからどんどん体が重くなってきたため、一念発起して、ダイエットを開始しようと考えている。食べることも大好きだが、余分な脂肪を減らし、身軽な体になることが目標。

N.Hさんのサイズ変化

ウエスト	結果 −4.0cm
二の腕	結果 −3.0cm

（実施期間：10日間）

1日目

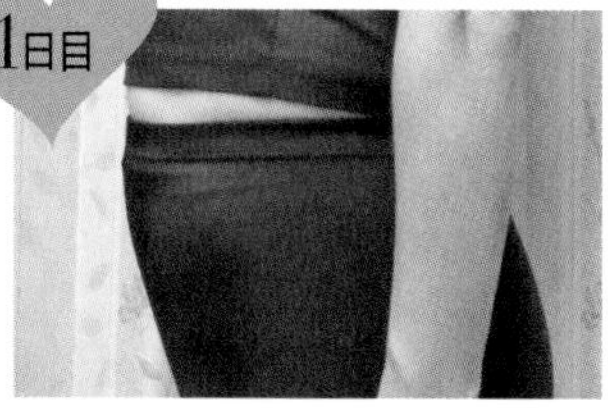

ウエストあたりがゆる〜

身長に対して体重があるわけではないけれど、ウエアの合間から少しぜい肉がはみ出すように、おなかまわりが少し重い印象。

10日目

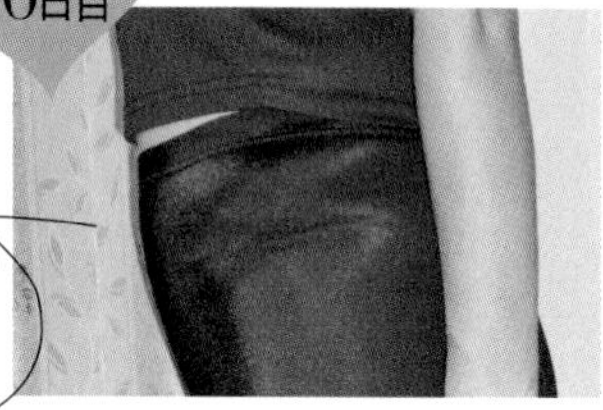

おなか〜太ももがサイズダウン

ウエアからはみ出すおなかのぜい肉もなくなり、ウエストがキュッと締まりました。ヒップから太ももにかけてもサイズダウンに成功。

成功者 Report 5

体に効かせられていると 実感できるから、楽しい！

鈴木翔子さん（20歳・学生）

メラメラカーヴィーは一見ハードそうですが、ゆっくりのテンポから入るので、初心者でもやりやすかったです。たった10分なのに汗がすごく出てきてビックリ。ゆるカーヴィーは体を目覚めさせるのにぴったりで、カンタンだけどしっかり体を使う感じ。3日くらい続けると動きに慣れてきて体の絞り方のコツなどがわかってきました。〝今ウエストに効いてる!?〟と実感できるようになると、それがすごく楽しくてやる気が出てきます。実際にウエストと下腹に少し変化が出てきました！ 集中しておこなうとかなり脂肪を燃焼した感がありますよ。そのあと、やせ力UPストレッチをすると、疲れもとれて気持ちいいんです。

生活の中にも〝ながら〟で取り入れて、もっと下腹とウエストをシェイプしたいと思います。

Profile
学生生活を充実させながら“楽しくキレイにやせる”ダイエットが理想。「コアリズム」などにもトライした経験あり。悩みのパーツはおなか。“ぽっこり度”を減らすのが目標。

鈴木さんのサイズ変化

下腹	結果 −2.0cm
ウエスト	結果 −1.6cm

（実施期間：10日間）

1日目

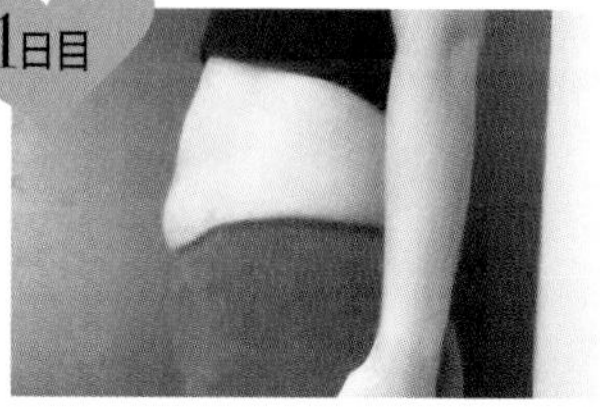

おへその下がぽこっ

身長が高くバランスのよい体型だけど、少しおへその下がぽこっと出てしまっている状態。ウエストにくびれがないのも悩みとか。

10日目

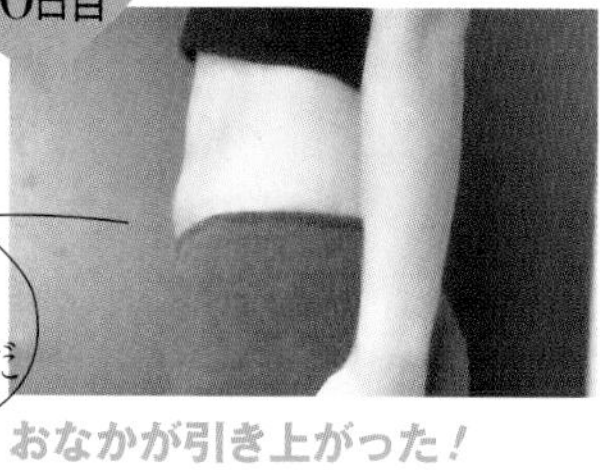

おなかが引き上がった！

おなか全体が引き上がり、下腹も引き締まり、おなかの下のゼイ肉が引っ込みました。くびれも少し出てきた感じ。

カーヴィーダンスQ&A

カーヴィーダンスを続けていく途中で感じる疑問や、効果アップのポイントなど、カーヴィーダンスに関するさまざまな質問をピックアップ。樫木先生がていねいにお答えします！

Q いつどのくらいおこなうのがいい？

A 食後1時間を避ければいつでもOKです

避けてほしいのは食後1時間。それ以外ならいつでも大丈夫です。ダンスは各10分程度、「部分やせカーヴィー」は実践編なら各2分程度と短めなので、時間を見つけて体を動かしてみて。もちろん、ムリのない範囲で何回踊ってもOKです。

Q ダンスをしたことがなくてもできますか？

A 音楽にのって体を動かすだけ。できる動きからトライしてみて

ダンスと名は付いているけれど、これはダンス効果を取り入れたエクササイズです。ダンスの専門知識や経験がなくても楽しめるように工夫しているので、できる動きからトライしてみてください。音楽にのって体を動かしていくうちに、ダンス的な動きにもじょじょに慣れていきますよ。

Q リズムにうまくのれないんです

A まずは動きを覚えてみましょう

速いテンポだとついていけない方は、最初は音楽に合わせなくてもよいので、まずは動きを覚えてみましょう。慣れてきたら、少しずつ音楽に合わせてみて。ニガテな動きがあったら、そこはとばして続けてみてください。そうやって続けているうちに、ニガテな動きもじょじょにできるようになっていきますよ。

Q 腰を振る動きが多いのはなぜですか？

A 骨盤を動かすことが美ボディづくりには欠かせません

骨盤を動かしながらウエストに効かせたり、骨盤を動かしながらお尻に効かせたり、骨盤を動かしながらおなかに効かせたりしていくことは、カーヴィーボディラインをつくるのに、とても重要なカギなのです。骨盤の動きは慣れないと恥ずかしいと感じる人も多いけれど、大切な動きなので、集中しておこなってみて。

Q 筋肉痛が出たらやめたほうがいいですか？

A 動くのが苦痛なほどの筋肉痛のときはやめましょう

体のどの部位にどの程度出るかは、その人の体によって違います。軽く感じる程度なら続けてOKですが、動くのが苦痛なほどひどい場合は、ムリをしないで休んでくださいね。

Q 手の動きをつけるとうまくできません

A まずはできる動きだけで大丈夫あきらめないで続けてみて

最初は腕の動きをつけずに、腰だけ動かしてみたり、脚だけを動かしてみたりするのでもOKです。動きは慣れもあるので、できないからと言ってあきらめないでくださいね。続けていくうちに不思議とじょじょに器用に動かせるようになっていきますよ。

Q 筋肉痛が出ないのは効いていないから？

A 筋肉痛が出なくても筋肉を使った感を感じることが大切です

筋肉痛がどの程度に出るかは、体の状態や体の使い方によっても多少違ってきます。カーヴィーダンスの場合、体の奥の筋肉にアプローチするので、極度な筋肉痛を感じないことが多いんです。ただ単に筋肉痛が出るか出ないかということよりも、体の奥のほうにギュッと使った感があったかとか、効いた感があることが大切です。

Q 男性や子どもがやってもいい？

A もちろんです。だれがやってもカーヴィーダンスは体づくりに効果的です

カーヴィーダンスはメリハリボディをつくるのに効果的ですが、体を楽しく動かせるという点では、だれがおこなってもOK。とくに、「遊んでカーヴィー」は遊び心満載なので童心に戻って楽しく笑顔で踊ってくださいね!!

Q 効果を上げるのにはどうしたらよいですか？

A 体への集中力を高め、ひとつひとつの動きを大切にしてどこに効いているかを意識して

ただ回数を多くおこなうよりは、まずは集中力を高めてひとつひとつの動きをていねいにおこなうことが大切です。そして体のどこに効いているかを意識しておこなってください。動きを覚えたら、ふだんの生活のなかでもちょっとしたときにやってみて。今回はバックショットもついているので、後ろからの動きも参考にしてみてくださいね。

Q なかなか効果が出なくて、焦ります

A 急激な変化だけではなく、小さな変化に目を向けてみよう

人によって体の構造もクセも違うので、体の変わり方も人それぞれです。大きな変化がなくても、体調や姿勢などに何かよい変化を感じるはず。それを見逃さず、どう体が変わっていくかを感じる過程も大切です。焦らずに心も体も粘っていきましょうね。

Q 「ゆるカーヴィー」だけでも効果がありますか？

A はい。ストレッチを効かせたダンスエクササイズなので気持ちよく体に効いてきます

体がガチガチのままだと、余分な力が入ったりして、うまく効かせることができません。「ゆるカーヴィー」はストレッチを効かせながら体の内側の筋肉を刺激していくので、代謝がよくやせやすい体をつくるのに欠かせないものです。

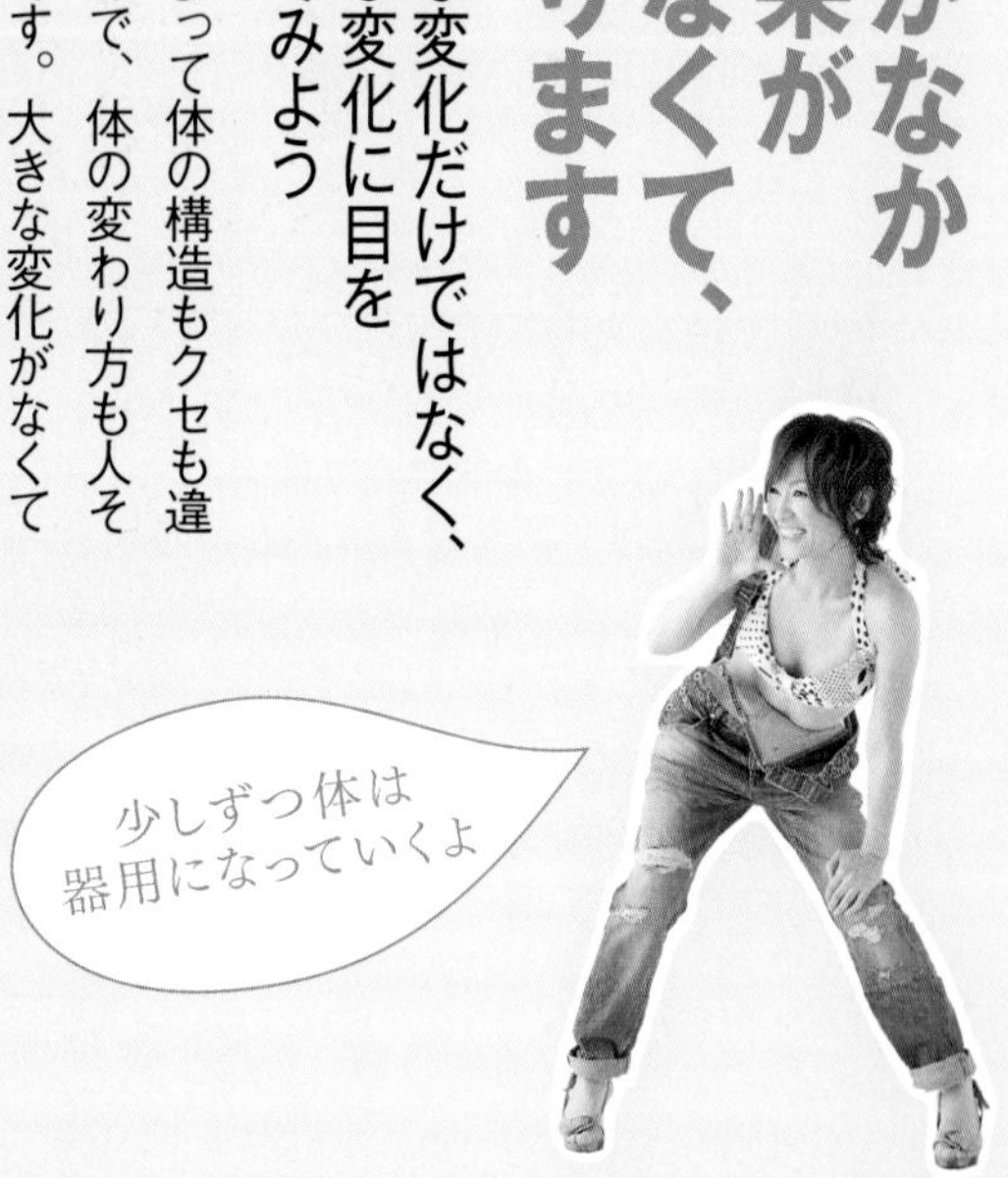

Q 踊っているときに腰やひざが痛くなったら？

A ひとまず中止して。再開するときは、私が解説する動き方のポイントを意識してみて

せっかくシェイプアップしようと始めたのに、ケガをしては台なしです。体に違和感を感じたら、ムリせずに中止しましょう。DVDや本で私が解説している動きのポイントは、体に効かせるためだけでなく、ケガをしないためでもあるんです。ひざを曲げるときのつま先の向きや、反り腰への注意など、もう一度確認してみてくださいね。

Q 生理前や生理中もできますか？

A 自分の体調と相談してムリせずできる範囲で

生理前や生理中の体調は、人によって差があるものです。つらいようならムリしないで休みましょう。少し動きたいなら、骨盤まわりをゆっくり動かして血行をよくする動きはおすすめです。体調と相談しておこなってください。

Q 部分やせをしたいのですが「部分やせカーヴィー」だけでよいですか？

A まずは体全体を動かしてこそ部分やせがあると思います

カーヴィーダンスには十分部分やせの要素が盛り込まれているんですよ。部分だけを動かすのではなく、体全体を動かしながら部分的に効かせていくことが大事です。そのうえで、「部分やせカーヴィー」をプラスしてみてください。

Q 妊娠中や出産後もできますか？

A 妊娠中は控えて。産後は医師の指導を受けてから

DVDでのセルフトレーニングは自己責任でおこなっていただくものです。私が直接指導できないので、妊娠中は控えてください。産後は1か月後の検診で、医師からいつもどおりの生活に戻っていいと言われたら、体調をみながら始めてください。

47歳の Super 美ボディをキープする秘訣とは…

47歳にして進化し続ける樫木先生の驚異の美ボディ。美しさをキープする秘訣をうかがいました。

Beauty

気持ちよくかく汗は最高の“美容ホルモン”になる

「スキンケアに関してよくたずねられるのですが、顔もボディも特別のケアはしていないんです。むしろ昔は日焼けしたりと、かなり無頓着でした。それでも、皆さまに肌の状態を褒めていただけるのは、体をよく動かしてきたからだと思います。集中力を高めて体を動かしたときに体の内側からあふれ出てくる汗が、何にも代えがたい“美容ホルモン”となり、肌に潤いとハリを与えてくれるのだと思います」

Body

おなかを引き上げて“筋肉のコルセット”をつくる

「私はすごく食いしん坊なので、ダンサー時代から食事を制限するダイエットができなかったんです。だから食べ過ぎてしまったときは、おなかがぽこっと出て見えないように、ふだん以上にギューッと腹圧を入れておなかを引き上げてきました。ボディラインがはっきりわかる露出度の高い衣装が多かったから気が抜けなかったんです。人前に出る機会が多かったのも逆によかったと思います。その引き上げが私の“コルセット筋”をつくり上げたのだと思います。今ではかなりの年季が入り、多少食べ過ぎてもコルセットがおなかが出るのを防いでくれます」

Foods

体に食べ過ぎサインが出たら「過ぎ」だけをやめる

「暴飲暴食を続けると、体が重く感じたり、肌に不調を感じるなど、悪い兆候が出始めます。私はその悪い兆候を“ヤツがきた”と言っていて（笑）、甘いものを食べ過ぎたときは、二の腕と脚と下腹部に、ヤツがやってきます。水分やアルコールをとり過ぎたときは顔と二の腕に、塩分が強過ぎる食事のときは顔全体、そして炭水化物ばかり食べてしまった日はおなかまわりに、ヤツはやってくるんです（笑）。そんなときは、自分がキレイだなと思う人の体を見て気持ちを高め、“過ぎ”を少し抑えています。すると、その少し抑えたときの体の状態が気持ちよいから、このままを保ちたいと思えるのです」

Conditioning

自分の体をよく知り、快適な状態へとコントロール

「体が疲れたり、どこかに不調を感じたりしたときは、自分が自分の体の先生になって、体が気持ちいいと感じるように動かし、調整しています。私はマッサージなども大好きですが、自分の体を自分で動かすことで、快適な状態に保つことが何より大切だと思うからです。体の専門知識がない方の場合でも、自分の体と向き合い、自分の体のことを知ることは大事なこと。そして、“体をこう動かしたら気持ちよかった”など、覚えていることを実践してみてくださいね」

Fashion

いつまでもタンクトップとジーンズが似合う女性でいたい

「年を重ねると、“私は年だから”と言葉を出してしまう方が多い。ましてや、露出のある服を年齢とともに着なくなるのは寂しい気がします。どうしてもタンクトップとジーンズが似合う女性でいたいという私の気持ちは、昔も今も変わらないのです。その思いは私が継続的に体を動かすことの原動力になっていることには間違いありません。ボディラインを意識できる服を身につけて緊張感を保ち、姿勢に気をつけたり、おなかを引き上げたりと、つねに体のことを意識してきたのもよかったのかもしれません」

樫木裕実の
Super ボディ＆メソッドの原動力とは…

自分自身を理想のボディにつくり上げ、指導者としてもそのメソッドを確立した樫木先生。
その原動力となったものは何か、先生にうかがいました。

不器用な体に向き合い、地道に変える努力を続けてきた

「私がダンサーだったと言うと、『あ、ダンサーだからだ』と納得したようによく言われます。最初から何でもでき上がっているように思われがちなのかもしれません。でも実は、体は硬いし、体を動かすのも不器用でした。ダンスを本格的に始めたころは、手を意識すると脚がついていけないといった具合で、頭の中はパズルのようでした。ロンドンのダンス留学時代もできなさ過ぎる自分に何度もへこみ恥ずかしい思いもたくさん経験しました。でも、あのときに逃げ出していたら今の自分はありませんでした。続ければこんなにも変われるんだという確信が、自分の自信につながり、指導者としても、不器用だったからこそうまく動かせない人の気持ちがわかるので、自分のマイナスがプラスに活かされたのだと思います。マイナスをプラスに変える力こそ、私の何よりの財産だと思っています」

コンプレックスがある分 表現力や人に伝える力を磨いてきた

「私はダンサーとしては背も低く、手脚も短い。だからそのコンプレックスを埋めるために、人に伝える心や表現力を大切にし、体では表現できない部分を自分自身の持つエネルギーで補おうと努力してきました。

でも実際には、いくら思いっきり手脚を伸ばしても、持って生まれたスラリとした手脚の長いダンサーを見てはコンプレックスを感じ、自分はダンサーになる体じゃなかったなと、何度も落ち込みました。それでも、23年間現役でプロのダンサーとして続けてこれたのは、自分で努力してつくってきた体を、そして自分の表現を、自分自身で愛せたからだと思います。だからこれからも表現力や人に喜んでもらおうと伝える心は、大切にこだわり続けてさらに磨いていきたいと思います」

樫木式メソッドを実現する場所・モノ・コト

樫木先生はスタジオでの指導やカーヴィーダンスのほか、
さまざまな形で樫木式ボディづくりのメソッドを提供しています。

和気あいあい♥

ミーティングは真剣！

スタジオ指導

樫木メソッドの実現の場がBody Conscious STUDIO 51,5です

「ふだん私はスタジオに来てくださる会員様にマンツーマン指導をしています。技術があっても愛がなくては人には伝わらないという信念のもと、信頼するスタッフとともに、愛あふれるスタジオづくりを目指しています。オーナーのヒロミが理解があり、自分が信じて貫いてきたメソッドや新しいトレーニング法を大いに実践できる環境をつくってくれたことに幸せを感じています。これからもチーム一丸となって、地に足をつけ、切磋琢磨していきたい。51,5ならではの体づくりを提供していきたいと思っています」

Body Conscious STUDIO 51,5では、ひとりひとりの目的に合わせ、その人の体の状態を見極めながら、きめ細かいパーソナルトレーニングをおこなっている。スタジオの問い合わせ先はP66にあります。

グッズ監修

体づくりをサポートしてくれるインナーボトムをこだわってつくりました！

樫木式「パーソナルエクサ」インナーボトム（スパッツ丈／黒、ピンク/S・M・L）¥4980、ガードル丈（黒、ピンク、モカベージュ/S・M・L）¥3980／（株）ユーアイビィ＜問＞http://www.happy-uib.com

「体はよい方向に動かすことができると、ラクになったり動きやすくなり、効率よく体づくりができます。その“よい方向への意識づけ”を助けてくれるアイテムとしてつくったのがこのインナーボトムです。私のパーソナルトレーニングを受けているように感じてほしいと、意識する部位やよい方向を体が覚えてくれるようにサポートできるテーピング機能を取り入れています。ですから、これを着用すると、生活のなかで体の意識を高めることができます。締めつけ感がきついのは私自身が苦手なので、はき心地のよさにもこだわりました。今では私の体を快適な状態に整えてくれる心強いアイテムとして、欠かせない存在です」

エクササイズ監修

誌面や動画でのエクササイズも監修しています

「スタジオでの指導のほか、雑誌やテレビ、アプリなどのエクササイズ監修もおこなっています。依頼されたテーマにどんなエクササイズがいいのか、対象となる方々をイメージしながらつくっていく作業はいつもワクワクします。多くの方が対象となるので、なるべくわかりやすく、楽しく続けられるエクササイズをご提案するように心がけています」

iPhoneアプリ

いつでも気軽に樫木先生の声がけトレーニングを。『めざせ美ボディ！樫木裕実のポケトレ』／iPhone、iPod touch、iPad互換／¥350／＜問＞http://www.medicomnet.jp/ios/kashiki/

雑誌

月刊誌『FYTTE』では、「おうちウォークエクサ」や「生理周期別エクサ」など、数々のエクサを披露し、ダイエッターの人気を得ている。

おわりに

皆さま、第2弾も楽しんでいただけたでしょうか?
第1弾の大きな反響を受け、正直かなりのプレッシャーでした。

でも新カーヴィーダンスを考案していくうちに
全国の皆さまが楽しく
気持ちよくエクササイズしてくださっている姿を思い浮かべると
プレッシャーどころか〝うれしくて楽しくて〟
喜びがふつふつと湧きあがってくるのを感じました。
もうすでに私の心の中に皆さまの声が聞こえてきていました。
「今日はメラっちゃおう」「今日はゆるっちゃおう」とか。

Love your body!

私がこれまで生きてきて一番大切だと思ったことは
〝心が健康であること〟
心と体は繋がっているから、そして一生のお付き合いだからこそ
自分のペースで楽しく進んでいただきたい。
ちょっと落ち込んだりした時も思い切って気持ちを上げて
私といっしょに音楽に合わせて声に合わせてエクササイズしてたら
「いつのまにか元気になっちゃった」って
思っていただけたら本望です。
メラメラ　ワキワキ　ワイパーワイパー　天使の羽根　天使の羽根
と口ずさみながら。
今日も元気で‼

樫木裕実

番外編 カーヴィーダンスメイキング公開!
樫木式カーヴィーダンスができるまで!

樫木先生のマネージャー庭山さんのケータイカメラ撮影による写真で、
カーヴィーダンスの撮影現場をちょこっとお見せしちゃいます!

表紙になった
衣装の撮影です
最高のくびれが決まった!

完成!

Complete!

Start

DVDの初めの
メッセージを
収録中。
キンチョー気味…

ダンスと照明で
汗が出るので
メイク直しも大変

衣装を
何枚も変えて
大変だけど
写真撮りは大好き(笑)

第1弾は
こんな様子で
できました

こんなポーズも
やってみましたが
これはちょっと
却下だね(笑)

えいっ

これが
「おわりに」に
なった衣装です

リカちゃんも
かなえちゃんも
最後まで
がんばってくれました

モニターチェック
は
欠かせません

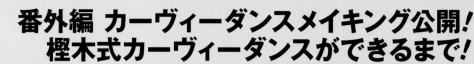

第2弾の撮影無事終了～
皆さまに
楽しんでもらえますように

完成!

Complete!

Start

ヘアメイクを
終えて
いよいよ第2弾の
撮影です!

第2弾はこんな様子でできました

撮影は真剣だから
どんどん
くびれちゃいます(笑)

リカちゃんと
かなえちゃんも
効かせ上手になりました

腹が減っては
戦ができぬ(笑)
今回も
たくさん撮りました♥

オーナーのヒロミが
現場に差し入れ。
カメラチェックされて
キンチョーしちゃった

スタジオで
スタッフみんなに
新カーヴィーダンスの
お披露目!

怒涛の撮影現場とは
思えない(笑)
スタッフいい笑顔♥

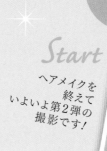

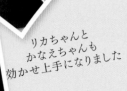

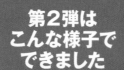

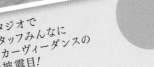

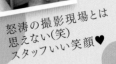

監修者・樫木裕実先生の所属するスタジオのご案内

Body Conscious STUDIO 51,5

本店
東京都渋谷区恵比寿3-9-20
恵比寿ガーデンイーストB1F
TEL03-5793-4271
http://www.515.co.jp/

二子玉川店
東京都世田谷区玉川3-19-3 宝恵ビル2F
TEL03-5717-9277

代官山店
東京都渋谷区猿楽町17-10
アスロニアビレッジ1F
TEL03-5428-2014

樫木裕実先生の
オフィシャルブログ
「Curvy Body」
http://ameblo.jp/studio515/

BOOK制作スタッフ
撮影／臼田洋一郎（監修者）　ヘアメイク／斉藤節子＜メーキャップルーム＞　構成・文／野上郁子＜オフィスhana＞　校正／白鳳社　アートディレクション／太田玄絵＜ohmae-d＞　デザイン／井手陽子＜ohmae-d＞

DVD制作スタッフ
映像制作プロデューサー／佐々木直也＜OBBLIGATO＞　映像ディレクター／小川櫻時　撮影／庄田充司＜ケーファイブ＞　オーサリング／ケーエヌコーポレーション　音楽（「ゆるカーヴィー」「やせ力UPストレッチ」）／伊橋成哉　テロップ制作／野上郁子＜オフィスhana＞　モデル／矢原里夏＜フィッテ専属モデル＞、寸田加奈絵　スタイリング（モデル分）／福岡邦子＜ルースター＞　ヘアメイク／中本太＜P-cott＞　レーベルデザイン／太田玄絵＜ohmae-d＞　ダンス制作アシスタント／庭山由美子＜Body Conscious STUDIO 51,5＞　撮影協力／パームスタジオ　衣装協力（モデル分）／チャコット、プーマ、ナイキ

制作協力／ Body Conscious STUDIO 51,5、全国のカーヴィラーの皆さま

記事の一部は樫木裕実先生のブログより抜粋して構成しています。

GAKKEN HIT MOOK
DVD付き
樫木式カーヴィーダンスで部分やせ!

2011年2月7日発行　2011年3月3日3刷

監修／樫木裕実

発行人　福本高宏
編集人　澤田優子
編集長　小中知美
企画編集　井上玲子
発行所　株式会社　学研パブリッシング
〒141-8412　東京都品川区西五反田2-11-8
発行元　株式会社　学研マーケティング
〒141-8415　東京都品川区西五反田2-11-8
印刷所　凸版印刷株式会社

【お客さまへ】
この本に関するお問い合わせは、次のところにご連絡ください。
●編集内容については　☎03-6431-1477（編集部直通）
●在庫、不良品（落丁、乱丁）については　☎03-6431-1205（第一販売部直通）
●学研商品に関するお問い合わせは下記まで。
☎03-6431-1002（学研お客様センター）
文書は、〒141-8418　東京都品川区西五反田2-11-8
学研お客様センター『カーヴィーダンスDVD』係

学研の書籍・雑誌についての新刊情報・詳細情報は下記をご覧ください。
学研出版サイト　http://hon.gakken.jp/